沈黙の艦隊
THE SILENT SERVICE
かわぐちか

CONTENTS

条約締結から一夜明けた10：55日本政府は重大発表を行いました！
現在　横須賀沖に投錨《とうびょう》したタンカー「サザンクロス」が「やまと」点検・補給用の基地として使用されるということです!!

VOYAGE 96
艦内ドック入港

11：00「やまと」御台場《おだいば》沖を発進!!
針路1—9—8 東京湾を速力12ノットで南下《なんか》中！
15
海上自衛隊
「サザンクロス」に入るべく横須賀沖を目指しています!!

なお点検・補給の様子は艦内ＴＶから中継されると発表されております！
SOUTHERN CROSS
ジャップめ小賢《こざか》しいマネを！
大統領！作戦指令部より湾岸に及ぶ被害の試算が出ました！
攻撃は可能か!?

あのタンカーの吃水《きっすい》から見て積載燃料は2万トン以下と判明しました
火災は湾岸に及ぶでしょうが消火可能です
浮きドック侵入に必要な深度をとるため南下をやむなくされたことが　攻撃を可能にしたということか
攻撃方法は？
自衛隊機が哨戒している以上空からはムリですそれにプレスのヘリもいます
やはり
潜水艦部隊による魚雷攻撃がベストかと！

カイエダ……め ライアンとハマモト だけでなく タンカー 乗員まで手札として
のうのうと 点検・補給を やるつもり だろうが……
退船勧告を出せ! もし従わない者は…… 全て戦闘員と見なす!

ソ連
アントノフ書記長に
ホットラインを
つなげ!
米海軍は
最後の勧告を
「やまと」に行った後
攻撃に移ると
ハッ
指揮権を国連で
審議している今
派手に動けまい
自衛隊の
反撃が 予想
されますが!!
それにタケガミ政権が
倒れれば
日本の世論も自衛隊も
抑え込める

午後の臨時国会でタケガミ内閣は総辞職に追い込まれるでしょう
となると
後継はセガワ……か
いくら頑張ってももともとタケガミ内閣は本命セガワまでの暫定色の濃い政権……すんなり移行すると思われますが
タケガミが辞任ではなく解散総選挙に打って出たらどうする？
勝てる見込みのない選挙をやるほど民自党に余裕はないでしょう
選挙になれば東京湾に「やまと」を置いておくことがタケガミの世論掌握のバーゲニング・パワーとなる

だが「やまと」が爆沈すれば
タケガミの野望も共にヘドロの海に沈む！
ドド
午後の国会で内閣不信任案が出されることは必至！
日本民自党本部
辞任しないでどう責任をとるつもりなのか総理!!
勝手な選択を行ったことに国民も野党も黙っとらんぞ

俺は総理の選択を支持する！このへんでアメリカ一辺倒を脱却し　世界に目を向けるべきだ！
あれで密約説も晴れた！
バカを言え！アメリカは日本の再占領を通告しているんだ　ここは頭を下げるしかないじゃないか！
「サザンクロス」ごと「やまと」を外洋に出して沈めたらどうだ！一気に解決する
やはり総辞職でなければ国民は納得せんよ
瀬川《せがわ》大蔵大臣
党
海渡《かいと》幹事長……
……
民自党幹事長
海渡《かいと》一郎《いちろう》

党内最大派閥で野党と太いパイプを持っておるあんたの力をワシに貸してくれんか
そんなことは自分のムラで相談したまえ
これ以上椅子《いす》にしがみつくのはみっともないぞ
今 私があきらめたら日本はもっと混乱する！
日本民自党
キミの首を差し出さなきゃまとまるものもまとまらんのだよ！民自党を潰す気か!?
そんなつもりはない 保守本流でなければ日本は この難局を乗り切れん
内閣不信任案が出る…… 総理は辞めん……
で どうするつもりだ!?

新しい保守体制でこの危機を乗り切る！
本
！
新しい保守体制!?
キミは まさか解散総選挙でもやるつもりじゃないだろうな
総理でいるうちは権限をフルに使用させてもらう
今 選挙などしたら大敗するぞ政権を野党に渡してもよいのか!!

だから
協力しろと言っておる
……きさまより アメリカに受けの いい人材は いっぱいおるのだ!!
海渡さん…… 残念ながら日本は 世界からソッポを 向かれたんだ アメリカだけでは ない
「やまと」と自衛隊を 国連に差し出せば 国連はとにかく 日本を認めて くれる!
各国も日本に 従うようになれば 世界的規模で 軍縮が可能かもしれん

今！
日本の知恵と経済力を世界のために生かすシステムをアピールしなければ……
民自党どころか日本が潰れるぞ！
14：00 臨時国会が招集された

竹上首相は党大会で総理辞任を蹴ったらしいぜ!
じゃどうなるんだ野党から内閣不信任案が出されることは避けられんぞ!
どうあっても政権にしがみつくつもりか!?
竹上首相は海渡さんに解散総選挙もあると脅しをかけたらしい!
解散!?
じゃ辞任しないで選挙に打って出るつもりか

「サザンクロス」まで 距離3000！
潜航予定位置に着きました！
潜望鏡下ろせ！
艦長 やはり入りますか？
点検・補給は別の手段を講じては……？ 危険が大きすぎますが
入渠《にゅうきょ》する！

東京湾から
脱出するには
これが最良の選択だ
速力2ノット
微速！
ダウントリム
20°で
深度50に
つけ！
ベント開け
注水！
ダウン
トリム
20°
！
速力2ノット
微速！
深度50に
つけ！

ザァァァ
艦長 「やまと」が潜航します！
面舵《おもかじ》10°！ 「サザンクロス」の右舷300メートルにつけろ！
面舵10°
カチ
水測長 回りの音に気をつけろ
飢えた鮫《さめ》がたかってくるぞ
星のマークのな！
アイ・アイ・サー！

海上自衛隊
03
「やまと」ドック内に正面より進入！
現在ドック真下50メートル浮上中！

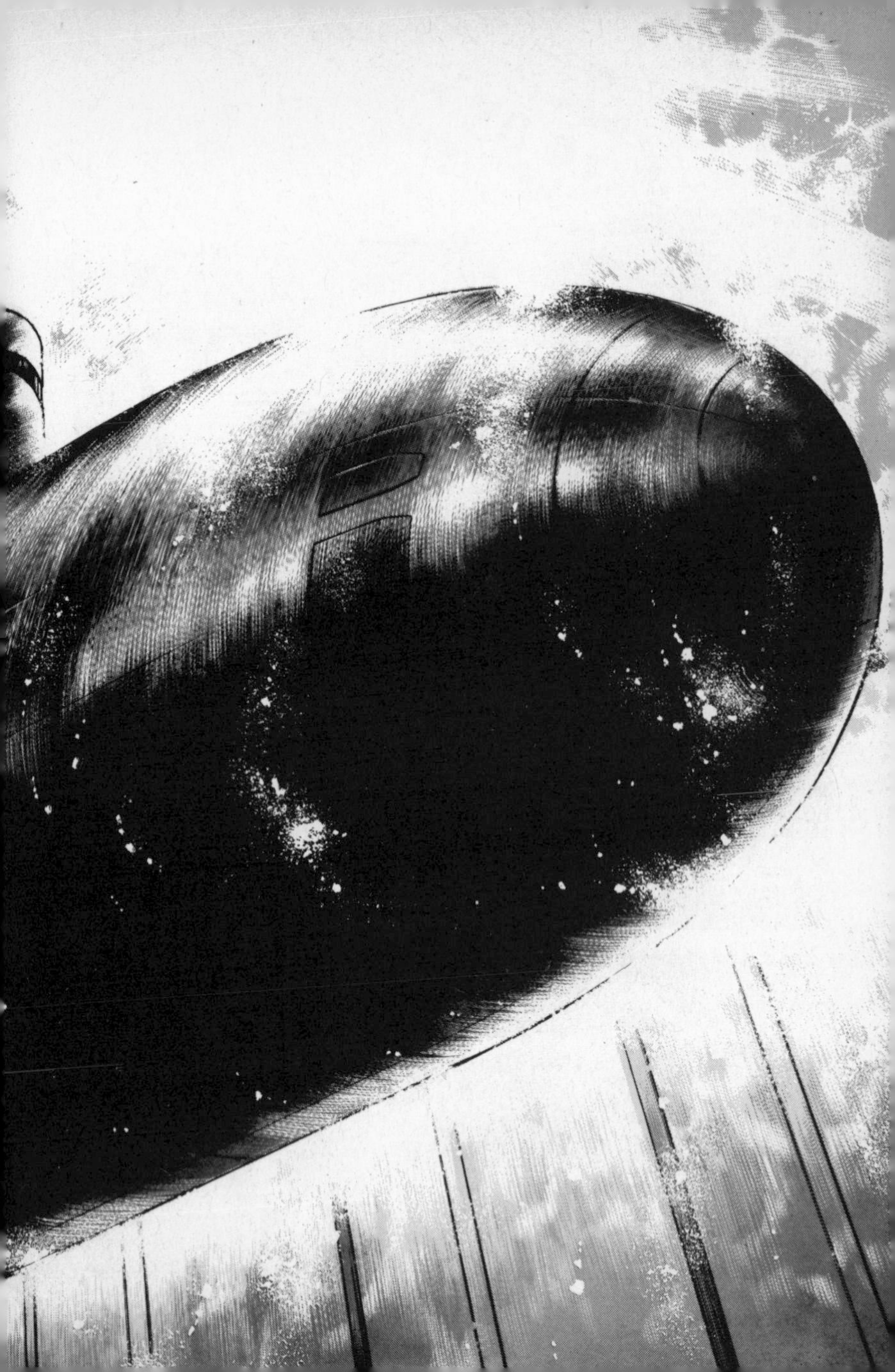

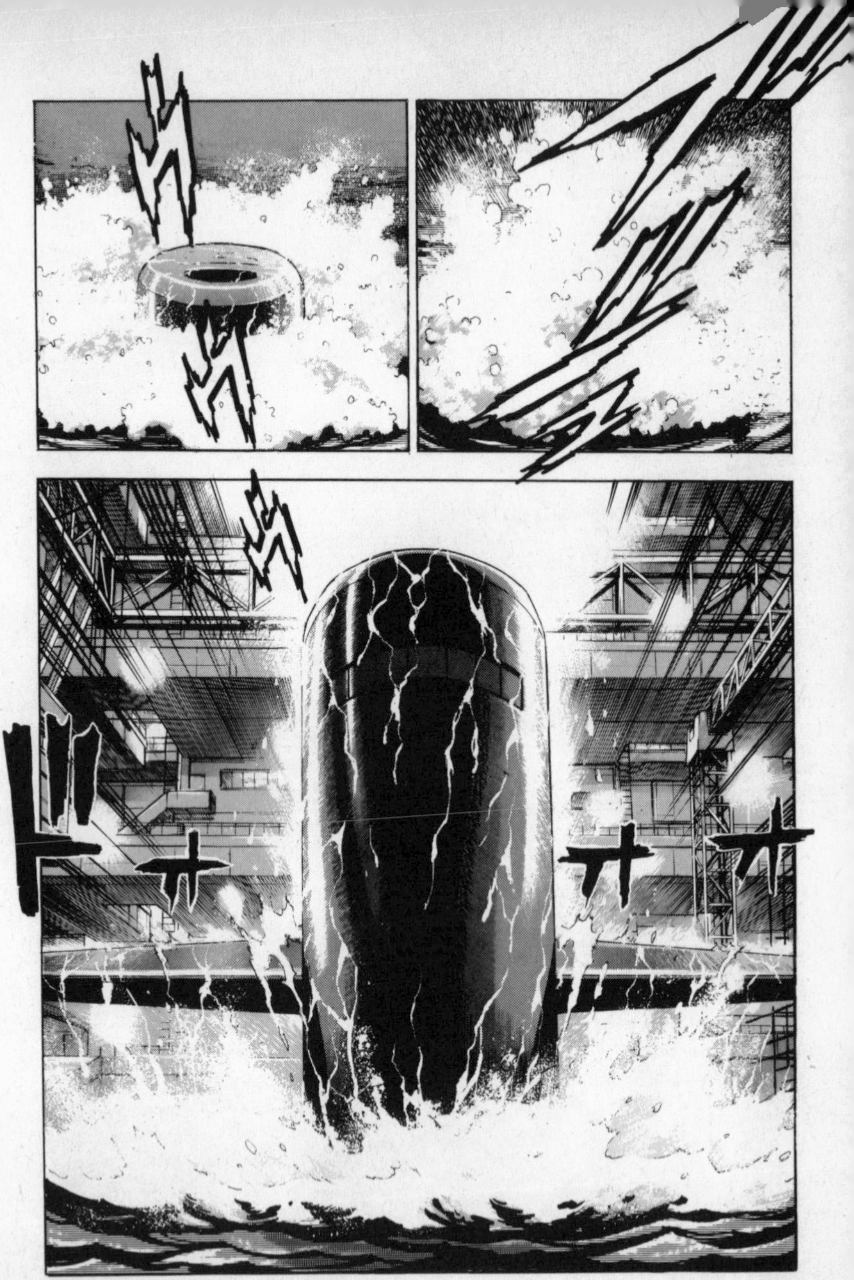

おおっ
やった！
潜望鏡も
使わず
ドンピシャ
とは見事!!
大統領
入りました!!
これで「やまと」は
艦《おり》の中で
縛《しば》られたも
同然です！
戦後50年の
平和に溺れきった
日本人よ 目を
覚ますがよい
潜水艦隊に
攻撃《アタック》準備指令だ！

VOYAGE 96 艦内ドック入港／END

ゴッ
ドック内
ポンプ
全基稼動!!
ドック
排水中!!
艦体がフロアーの
盤木《ばんき》に 充分固定
されているか
確認しろ

横須賀沖の浮きドック「サザンクロス」内では船底が閉ざされ「やまと」はスッポリ艦内に収まりました
TV中継でおわかりでしょう現在ドック内の水が抜かれ
「やまと」収容作業は順調に行われているもようです!
これが日本初の原潜……
米・ソ太平洋艦隊をたった1艦でぶっ潰した
化け物……か

VOYAGE 97
攻撃命令

艦長より
各員に告ぐ
15：00より
内殻各区の
損傷検査を行う！
米軍はすでに攻撃態勢に入っている
足場がかかり次第
素速く外殻の
検査《スキャン》にかかれ
針の穴ほどの
傷も
見逃すな！
深度1000の
水圧は見逃して
はくれん！
なお最終チェックは
ドック内作業員に
まかせず自分でやれ
自分たちが
世界最高・最強の
サブマリナーで
ある自覚と誇りを
忘れるな！
ハッ

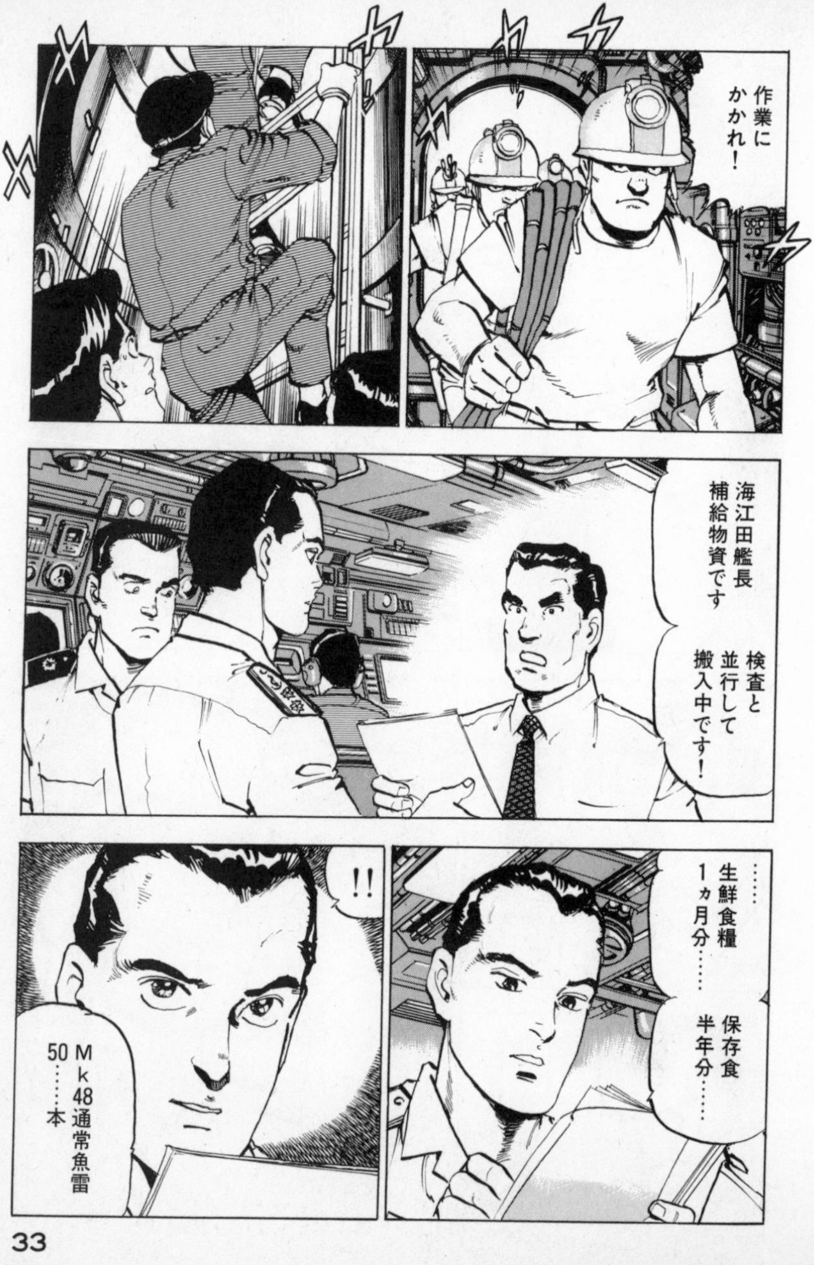
ガ
ガ
ガ
ガ
作業にかかれ！
海江田艦長補給物資です
検査と並行して搬入中です！
……生鮮食糧1ヵ月分……
保存食半年分……
!!
Mk48通常魚雷50……本

国連安保理から
わが政府に 戦闘の
拡大を懸念し
通常であろうと魚雷の
搬入を中止するよう
勧告があったのです
が
貴艦が
ニューヨークまで
航海される際に
現段階で
通常魚雷を
持った場合と
持たない場合と
どちらが世界に
より脅威を
与えるか
総理の判断で
決定しました!!
なるほど……
感謝する
了解した
ただちに
積み込みに
かかる!
山中!!
ハッ

艦内ドックの
責任者に至急
会いたい!!
ハッ
ガガガ
ガガ
ガガガ
ザシャア
12月4日
15：03
哨戒ヘリ06より
「はるな」へ
潜水艦探知！
方位0─0─2より
針路2─9─8へ
音源2！
音源
！

相模湾を警戒中の第2護衛艦群が浦賀水道へ侵入中の潜水艦を探知した
深度200 速力10ノット 北上中！
05
141
司令 米攻撃型原潜ロス級です！
横須賀沖の「サザンクロス」を狙っての作戦行動では!?
おそらく……な
攻撃して止めますか
あわてるな！

わが隊の指揮権は国連にゆだねられようとしており　今　勝手な行動は止められておる！
しかし「やまと」の補給・点検にはまだ半日はかかります！
あのタンカーには乗員・作業員が当然乗り込んでおる
いくら米軍でも退船勧告も行わず非戦闘員を巻きぞえに攻撃はできまい！
海上自衛隊
05
作戦司令部および「サザンクロス」に米原潜の侵入を報告しろ
ハッ
音源をロストするな追え!!
141

総理！
なに！
米原潜が浦賀水道に!!
威嚇《いかく》でしょうか それとも!?
米軍は「サザンクロス」ごと「やまと」を沈める気だ！
いずれにせよ まだ補給・点検は終わらんぞ！
今 攻撃を受けたら「やまと」は防ぎようがない！
総理！

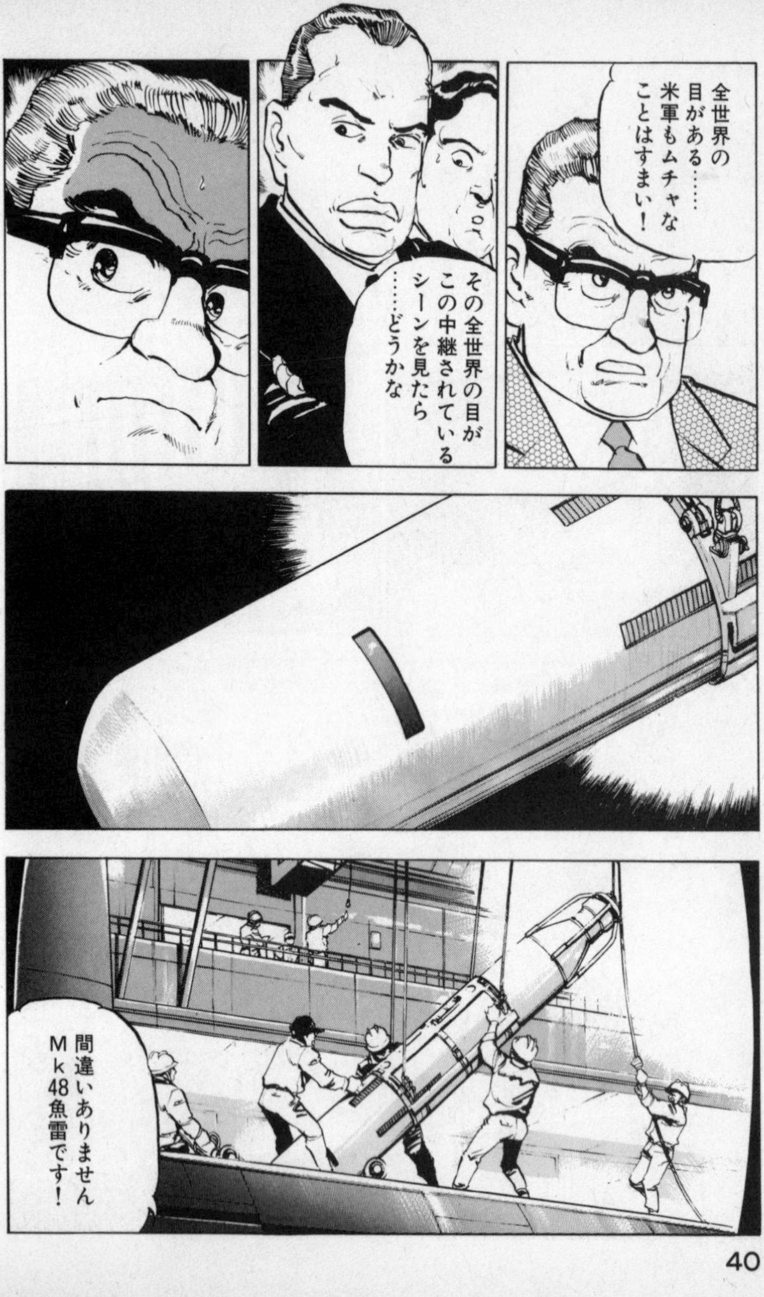
全世界の
目がある……
米軍もムチャな
ことはすまい！
その全世界の目が
この中継されている
シーンを見たら
……どうかな
間違いありません
Mk48魚雷です！

日本政府は
国連勧告を
無視したようです
「やまと」の
生存が
最優先だと
判断したのだ
だが
これで世界が
わが軍の
「やまと」攻撃を
支持する!
すぐさま
退船勧告を出せ
「やまと」の
息の根を止めるのだ

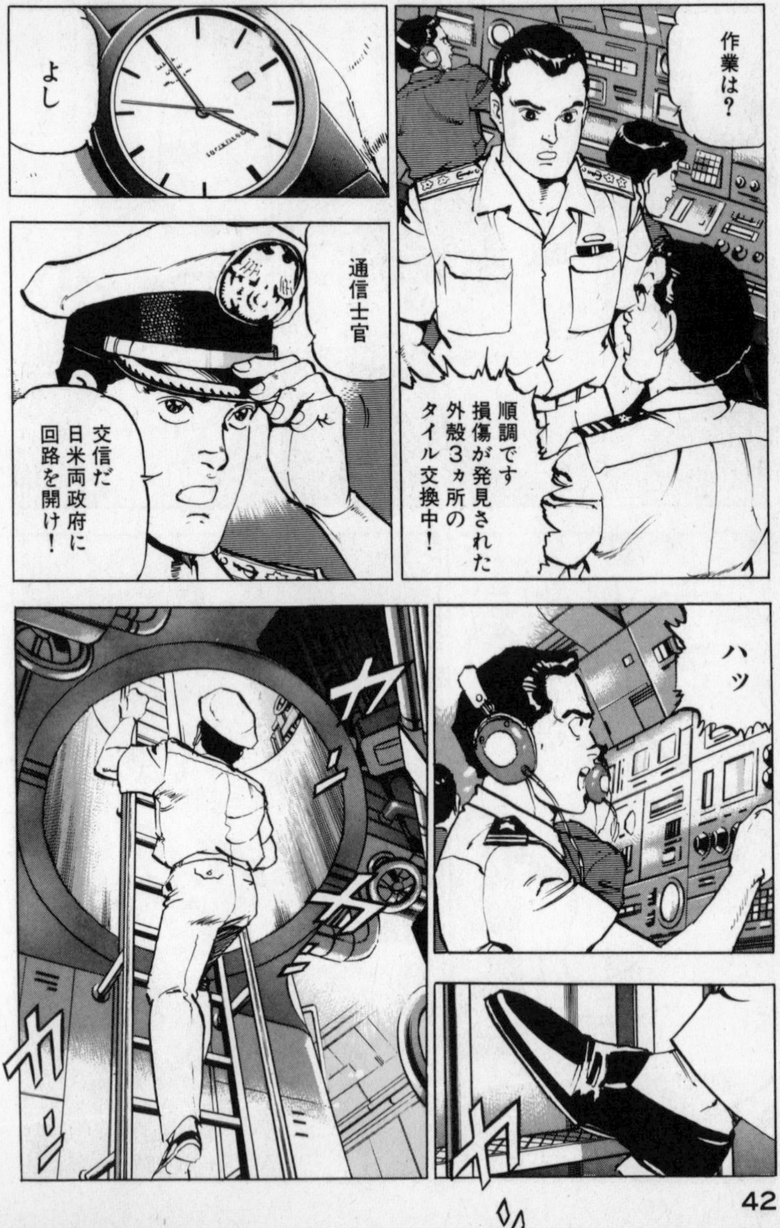
作業は？
順調です
損傷が発見された
外殻3ヵ所の
タイル交換中！
よし
通信士官
交信だ
日米両政府に
回路を開け！
ハッ

ガガガ

大統領
カイエダが艦橋《セイル》に現れました
わが国への通信回路を開くようコールです！
最後の交信だカイエダ
聞いてやる！

「やまと」より
日・米両政府に
通告する！
現在「やまと」艦内に
日・米両国より
浜本・ライアン両氏が
派遣されているが
本艦の
補給・点検の
終了予定時刻
20：00をもって

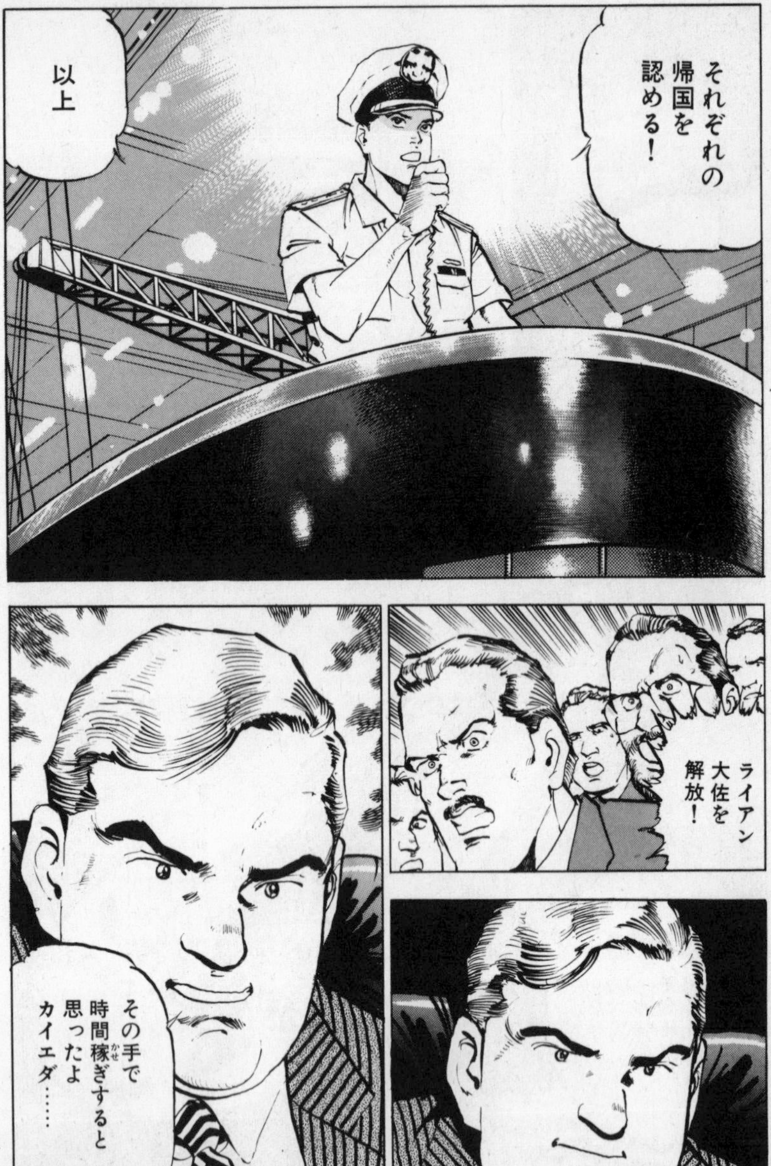
それぞれの
帰国を
認める！
以上
ライアン
大佐を
解放！
その手で
時間稼《かせ》ぎすると
思ったよ
カイエダ……

中継の様子から補給・点検はあとどのくらいかかりそうか？
ハッ
魚雷の積み込みなど急いでもあと3時間はかかるかと
プレスを集めておけ国際正義の勝利宣言を公式に出す……
作業を終わらせるなただちに退船勧告!!
攻撃だ!!

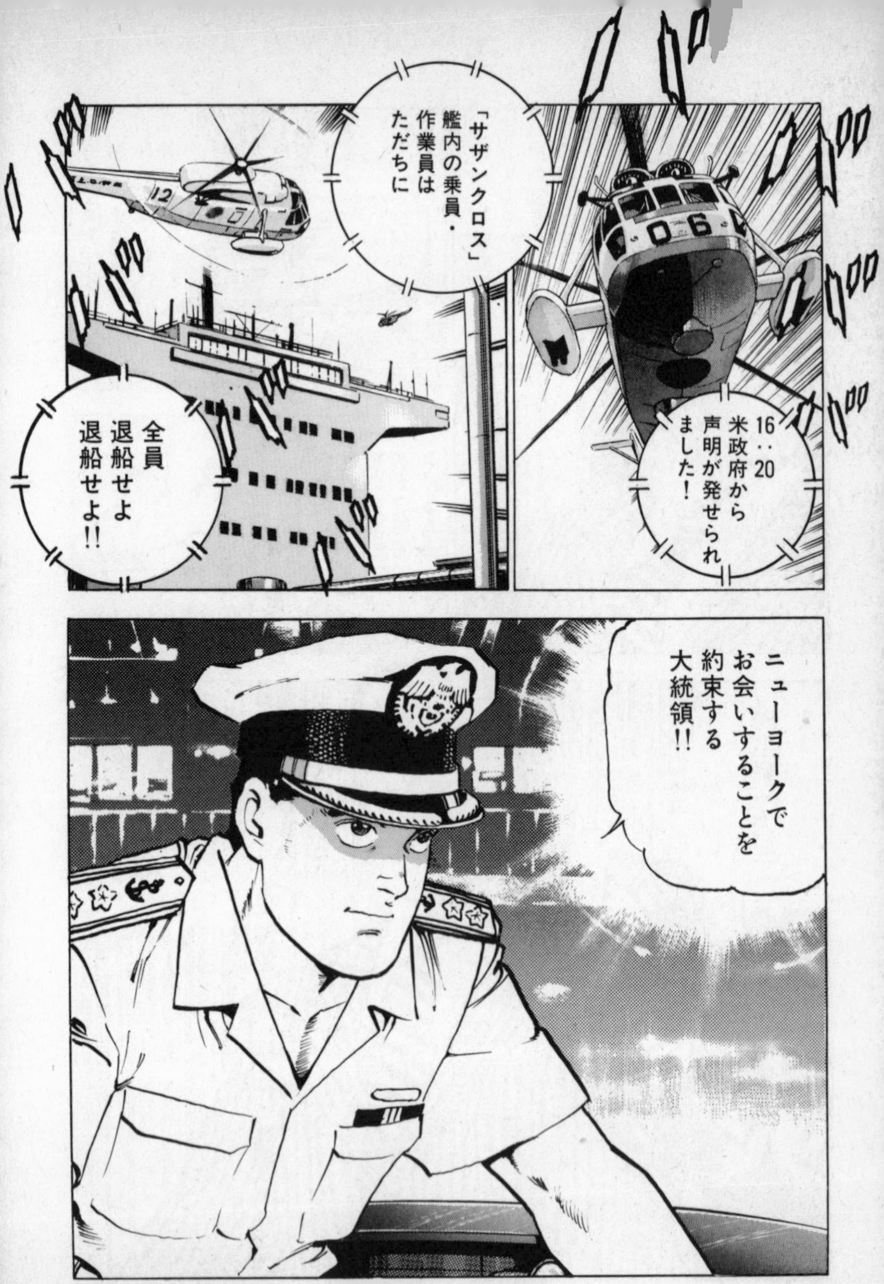
「サザンクロス」艦内の乗員・作業員はただちに
全員退船せよ退船せよ!!
16:20米政府から声明が発せられました!
ニューヨークでお会いすることを約束する大統領!!

VOYAGE 97 攻撃命令／END

VOYAGE 98
退船勧告拒否

米
ロス級原潜
「サザンクロス」まで
距離5000
全門Mk48装塡
注水完了!!

総理!
ホワイトハウスにホットラインを!
「やまと」の補給・点検はまだ終了しておりません!
時間を稼がないと!
12月4日 16:50 米海軍より横須賀沖の「サザンクロス」乗員に対し 退船勧告が出されました!!
明らかな攻撃へ向けての最終通告と思われます!
SOUTHERN CROSS

大統領
タケガミ総理から
ホットラインです
おそらく時間を稼ぐつもりでしょう
切りますか!?
ガチャ

ベネット……だ
大統領 竹上です！
「やまと」は ゲストとして乗船している ライアン大佐 および浜本大使を 20：00までに帰国させると 宣言しました 中継をご覧になったはずです
中継といっても ドックの 他の部分は見せて もらってないがネ
大統領 世界が 見ているのだ 人道にもとる行為は 慎むべきです！
人道にもとる とは日本政府の 行為のことだ!!

他にも民間作業員68名が乗船しております 攻撃すべきではない
しかも外洋に近いとはいえ まだ狭い浦賀水道です
日本は 通常魚雷の補給を禁ずるとの国連勧告を無視した!
新たに魚雷を積み込んだ「やまと」を外洋に出すわけにはいかん!
世界を再び戦闘に巻き込むことになる!
現代国家のあらゆる常識が 合衆国の行動を正義だと認めるだろう
人命は日本政府の判断にかかっているのだ
あなた方は多くの人間を見殺しにしようとしている

大統領
もはやこの事件は
どちらの国家が
正義かという次元を
越えているのだ！
「やまと」の発言は
信頼できる！
20：00に「やまと」は
ライアン・浜本両氏を
解放し　ドック乗員は
全員退船する
それまで待つべきだ！

ならば　これ以上
話すことは
何もない
大統領!
17:00
日本政府は
米政府の勧告を
拒否!!
「やまと」の
宣言に合わせ
20:00に乗員を
退船させると
表明!
これにより
米海軍との
軍事衝突は
必至の情勢と
なりました!
SOUTHERN CROSS

食糧だ
後部ハッチ開け！
急げ!!

政府は退船勧告を蹴った!!
米海軍は通告通り攻撃してくるぞ 現に原潜が浦賀に侵入していると いう話だ！
攻撃が始まったら「やまと」の脱出は不可能だ！
爆沈する「サザンクロス」の巨大な衝撃音と泡が絶好のバリヤーを作り出す
助かるには今すぐドックを出るか 艦を諦《あきら》め退船するかしかない！
なんだ……と!!

ま まさか ドックを 沈めて一緒に！
船を失う痛みは 同じ船乗りとして 理解している つもりだ
ではあんたら 最初から そのつもり で!!
この 自走浮きドック は
5発や10発 魚雷を喰らっても 沈まないよう 内殻が多重構造に 設計されている
攻撃が始まっても 2時間程度は 沈まない その ことはご存知の はずだ 船長

作業は予定通り行いたい！
ムチャだ　この中之瀬《なかのせ》航路の水深は最高48メートルしかないんだ！
17：30「たつなみ」
来るぞ……
退船勧告を蹴るとは政府も思い切ったもんだ！

「サザンクロス」を東京湾に沈めて「やまと」事件の記念碑を作る気ですかネ
総理が自分一人でアメリカ相手に腹ァくくったってことなのさ！
艦長
距離4000〜5000に他の一般タンカーが停泊しています魚雷迎撃は危険です
となると「サザンクロス」を守るには先制攻撃であの2艦を沈めるしかありません
艦長……！
魚雷は……艦尾を狙ってくる……！
あのドックは艦尾のエンジン・電気コントロール部さえやられなければ……簡単には沈まん……！

エンジン始動 面《おも》舵《かじ》30° 「サザンクロス」の艦尾10メートルにつけろ!
!
エンジン始動 面舵30°!
当たりますよ
米海軍はこっちを沈めても意味がないことぐらい知っている 急げ!

了解《ラジャー》
カチ
コントロールより魚雷制御室へ
こちら艦長

発射《ファイア》!
海上自衛隊
深度80 魚雷発射音探知!!

来ましたぜ
魚雷です
方位1—8—2
雷跡4！
距離4500！
魚雷航走
雷速
40ノット
命中まで
1分後
最高速
50ノット！
3分

機関全速
面舵50°回り込め!!

総理！
哨戒機より報告
17：32米原潜が
魚雷を
魚雷を発射
しました！

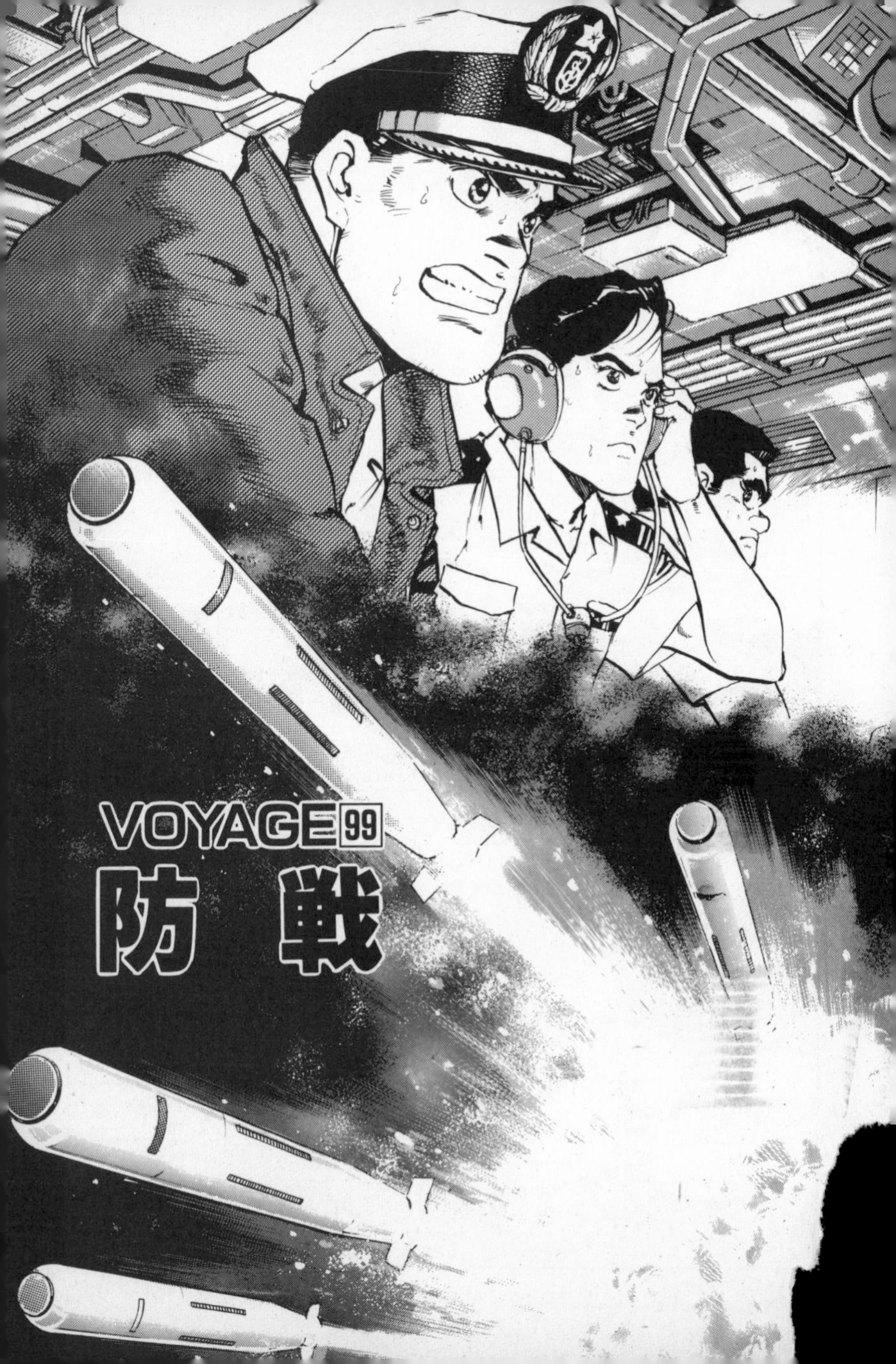
VOYAGE 99
防戦

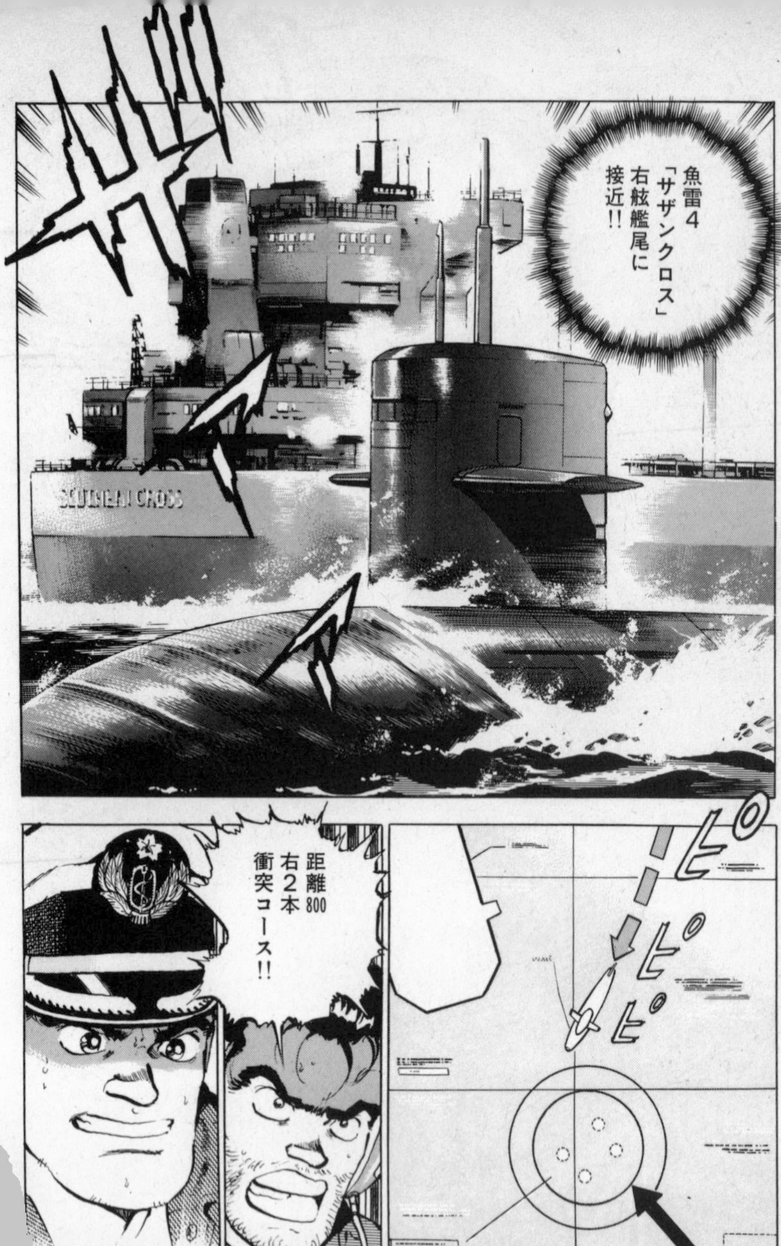
ズドッ
魚雷4
「サザンクロス」
右舷艦尾に
接近!!
SOUTHERN CROSS
距離800
右2本
衝突コース!!
ピ
ピ
ピ

面舵《おもかじ》30°に修正ッ!!
舷側で魚雷をはじき飛ばせ!!
!
はじき飛ばす!?
魚雷を!?
こいつは大型艦撃沈用に遅発信管セットのはずだ!!

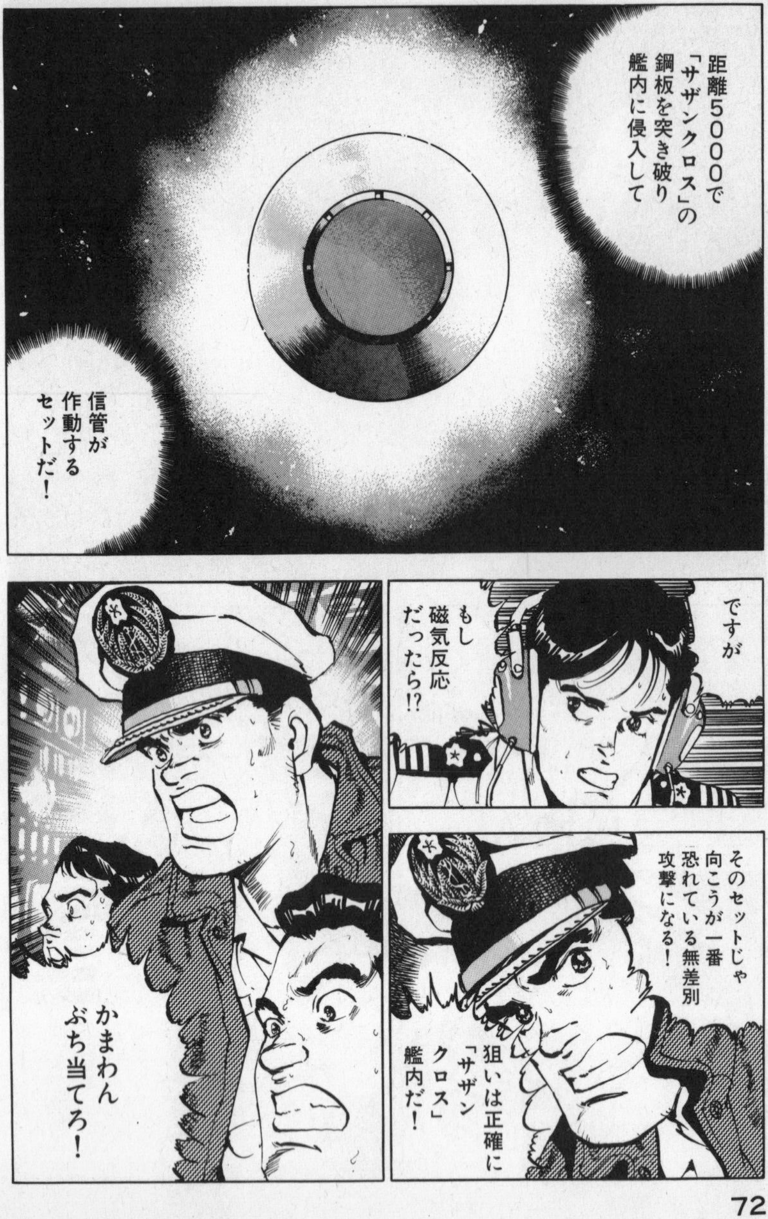

距離5000で「サザンクロス」の鋼板を突き破り艦内に侵入して
信管が作動するセットだ!
ですが
もし磁気反応だったら!?
かまわんぶち当てろ!
そのセットじゃ向こうが一番恐れている無差別攻撃になる!
狙いは正確に「サザンクロス」艦内だ!

面舵30°
魚雷との
角度50°
!
ハッ
全員
ショック対応
姿勢をとれ!

ウワッ
やった
はじき飛ばした
ぞ！

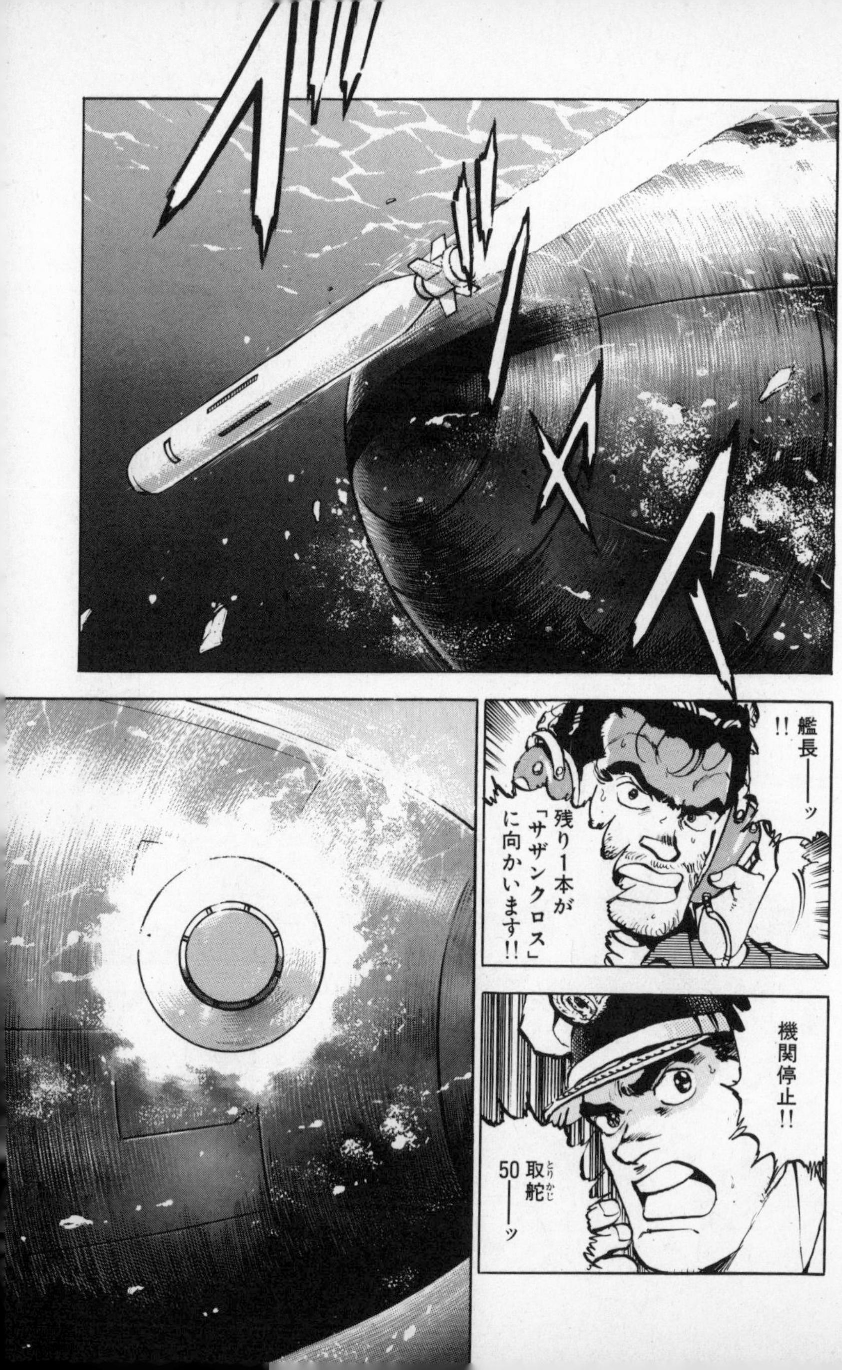
艦長——ッ!!
残り1本が「サザンクロス」に向かいます!!
機関停止!!
取舵《とりかじ》50——ッ

至急
対潜防止ネットを
浦賀水道の米原潜と
「サザンクロス」の
間に張ってはどうだ!?
ムダですな
魚雷がダメなら
ハープーンを
射ってくる
なるほど
それなら
犠牲を出さず
魚雷攻撃を
防げる!!
こいつは水中から
空中に飛び上がって
落下してくる!
防潜ネットでは
役に立たん
では何のために
湾岸にミサイル
陣を布いたのだ
射ち落とせば
よいではないか
ムチャを言うな
あの海域には
原油を積んだ
タンカーが多数
停泊しておる!!
それに横須賀・
川崎・横浜上空で
空中戦をやるわけ
にはいかん!!
総理!

現場に向かっている第2護衛艦群はあとどのくらいかかるのだ!?
到着まで1時間30分との報告です!
到着したら全艦で「サザンクロス」を囲み　魚雷攻撃を防ぐよう命令してあります
だがそれとて米原潜の的にならぬ保証は何もないぞ!
あくまで米軍の狙いは「サザンクロス」を沈めることだ　全面戦争ではない　くれぐれも挑発にのって
反撃せぬことだ!
今の自衛隊にとれる作戦はそれが精一杯だ
できるだけ時間を稼ぎ　その間　国連事務総長に働きかける
現在海原くんがオフィシャルにG・アダムズ事務総長に接触しておる

ド
!
F3モニターズーム!!
艦内コントロールよりドックへ!

右舷艦尾第3甲板に魚雷命中!
魚雷は艦尾鋼板に突きささっています!
突きささったア!? 不発なのか!
不発ではない 遅発信管だ
どうやら機関・電気系統は外れたらしい だが
当たりが弱くて艦内に届かなかったようです
残りの3本は「たつなみ」が!!
おそらくな

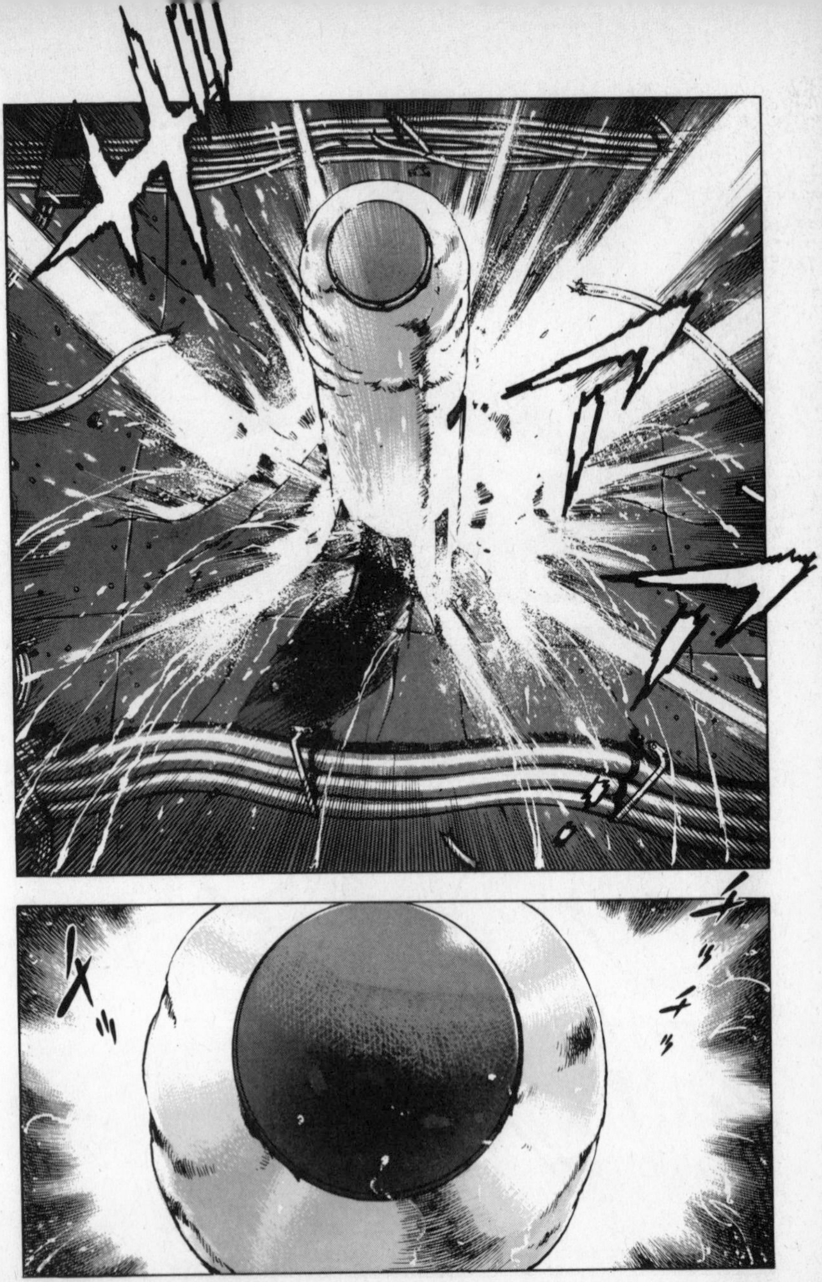
チッチッ

ドン

ウォッ!
各区損傷を報告しろ!
バルブのパッキング交換!!
艦首魚雷発射室居住区に各浸水!!
漏水《ろうすい》防止作業中!

水測長
艦首ソナーに
故障はないか
!?
ハッ
「サザンクロス」で火災が発生したようです
スプリンクラーが作動している音が聞こえます!
魚雷は命中寸前でコースを変えました
機関部への直撃はかわしたもよう!!
よーーし
魚雷発射管室防水急げ!
ありがたい
ぶっ飛んだ3発は故障水没したようですネ!
しかしこれで今度くるやつが大変です!!
ああ……
今のはほんのアイサツ代わりだ
今度は全門射ってくる!!

これで向こうはこっちの手を知りましたからネ 遅発信管と磁気反応とランダムにセットした魚雷がきますよ
そうなったらどれがどれやら
お手上げですよ!!
なアに第2護衛艦群でぐるり取りまけばそう簡単に射ってはこれん!
ですが横須賀港に残っている米艦がハイどうぞと通してくれますかネ
沼田司令だ穴をこじ開けてでも入ってくる!
「はるな」より後続全艦へ!

観音崎通過!!
「サザンクロス」停泊地点まで50分!!
哨戒ヘリ03より第2護衛艦群旗艦「はるな」へ!
キュ
キュ

艦隊針路に米艦艇！
なに!!
横須賀米軍基地第2・第3バースに入っていたミサイル巡洋艦「リーブス」
24

ミサイル
フリゲート艦
「ファイフ」と
「カーツ」だ
こりゃア
到着が
少し遅れるぞ
「たつなみ」

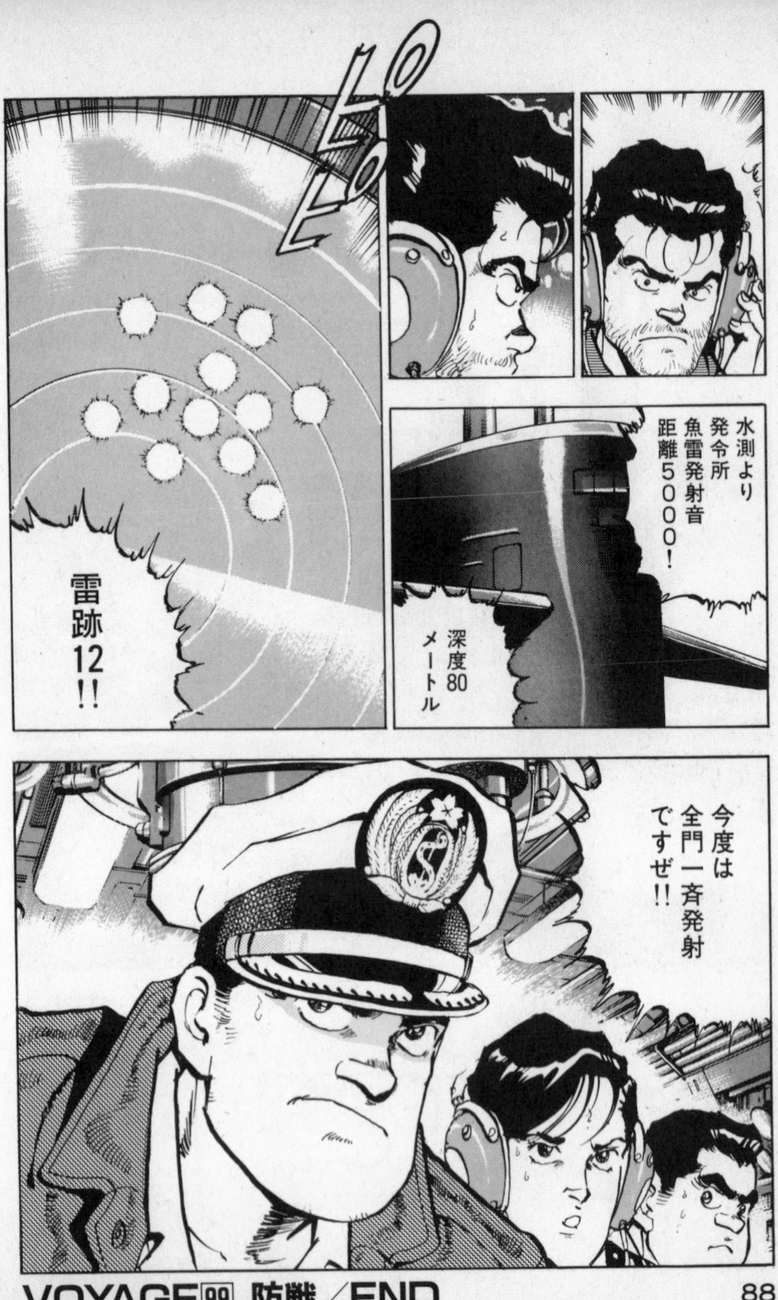
ピコーン
水測より発令所
魚雷発射音
距離5000!
深度80メートル
雷跡12!!
今度は全門一斉発射ですぜ!!

魚雷雷跡12接近方位0―0―2
距離4500!
どれがどんな信管セットになっているのか!?
この東京湾で勝手なマネはさせん!
1番2番魚雷信管セットを距離1000メートルに切り換えろ!
ハ!?
魚雷発射用意だ!

横須賀沖海戦I

VOYAGE 100

1番2番セットよし！
操舵手
ダウントリム
10°をかけろ
1分後に
発射だ!!
前部タンク注水！
ダウントリム
10°!!
下へ魚雷を発射して
海底を撃つつもりですか！
忘れたのか この
1000メートル先の
ヘドロの上に
何があるか！

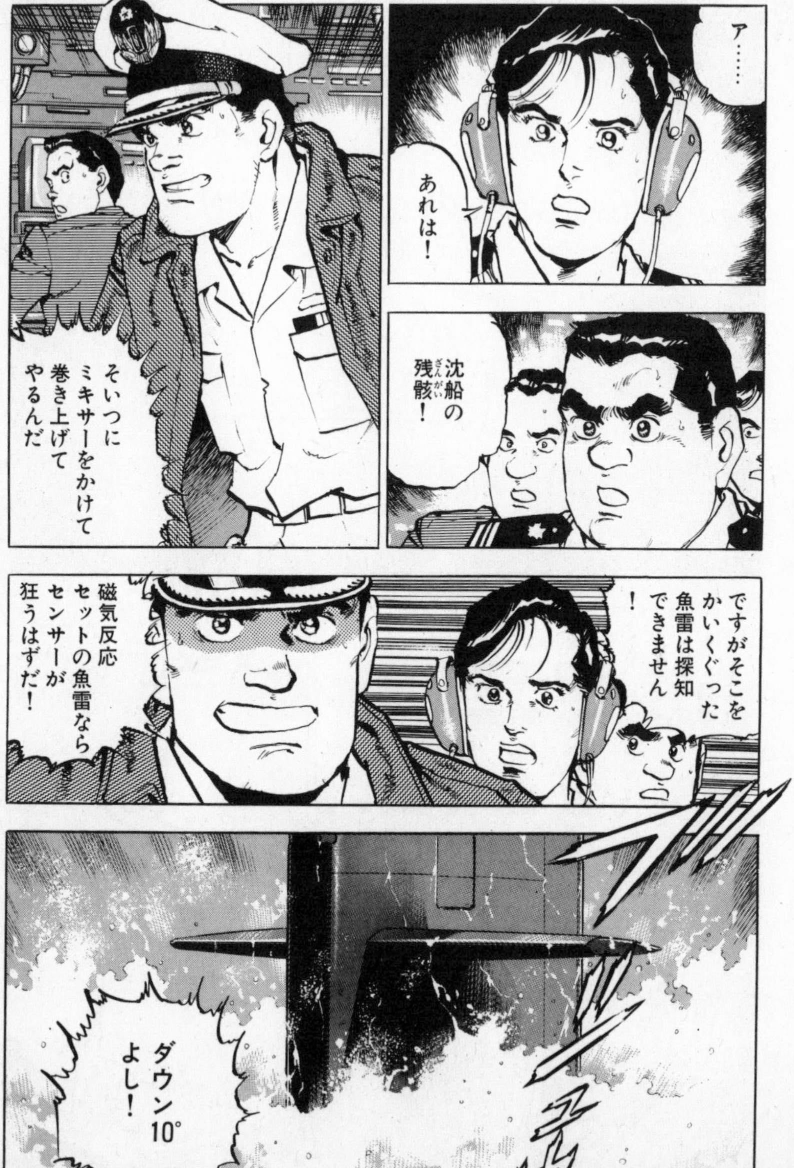
ア……
あれは！
沈船の残骸《ざんがい》！
そいつにミキサーをかけて巻き上げてやるんだ
ですがそこをかいくぐった魚雷は探知できません！
磁気反応セットの魚雷ならセンサーが狂うはずだ！
ダウン10°よし！

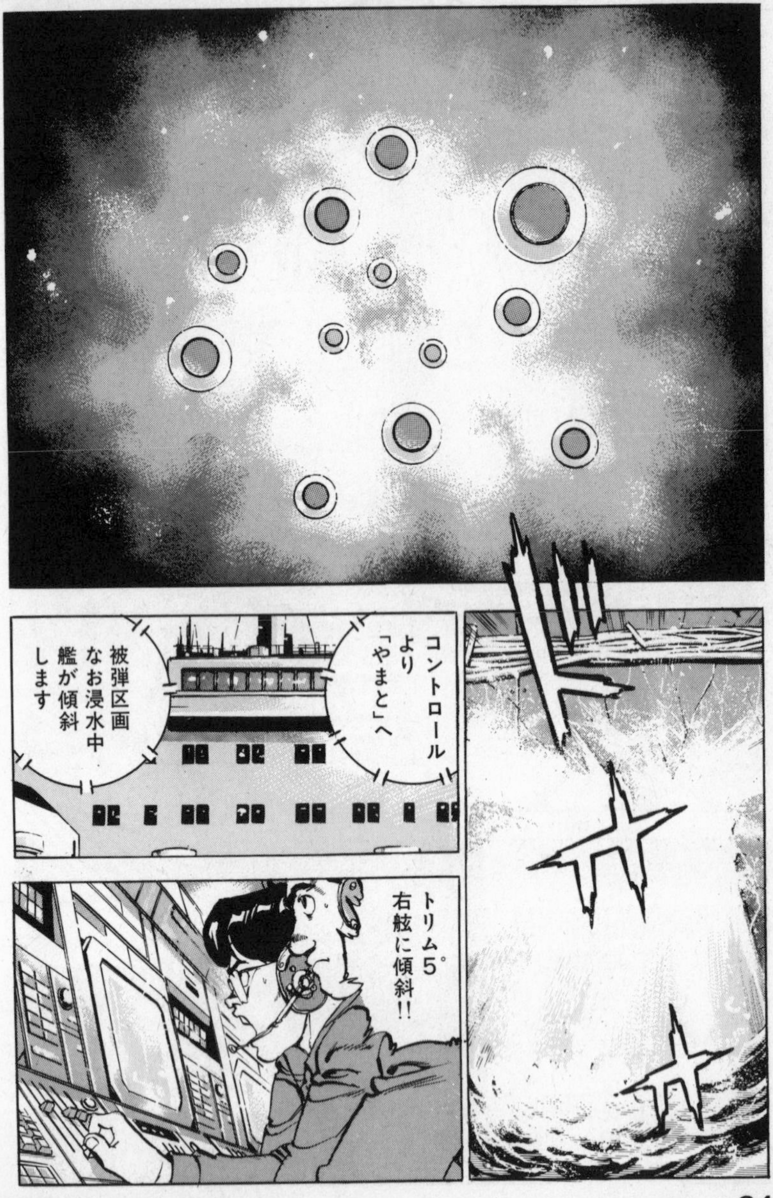
コントロールより「やまと」へ
被弾区画なお浸水中艦が傾斜します
トリム5°右舷に傾斜!!

「やまと」より「サザンクロス」コントロールへ
取舵《とりかじ》30°！機関一杯！
舳先《へさき》を2―2―0へ
取舵30°よし！
舳先2―2―0

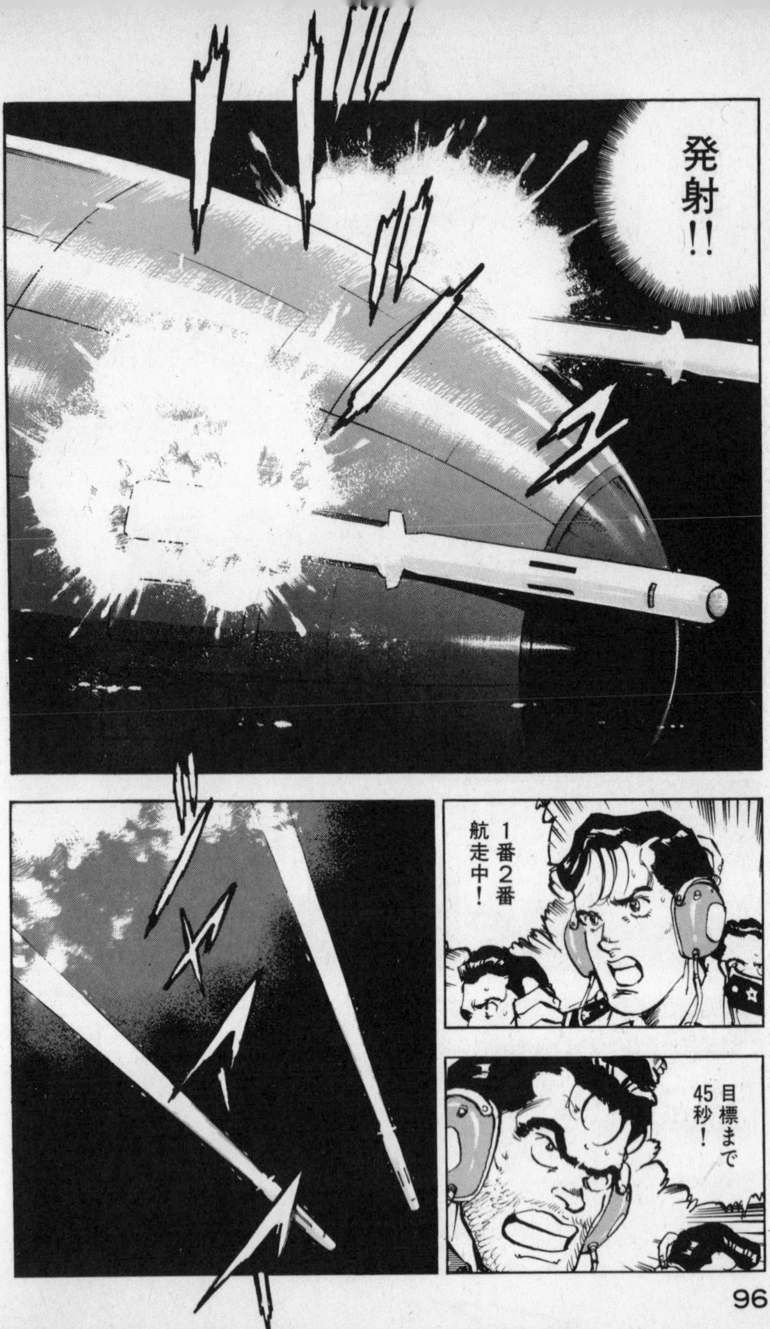
発射!!
1番2番航走中!
目標まで45秒!

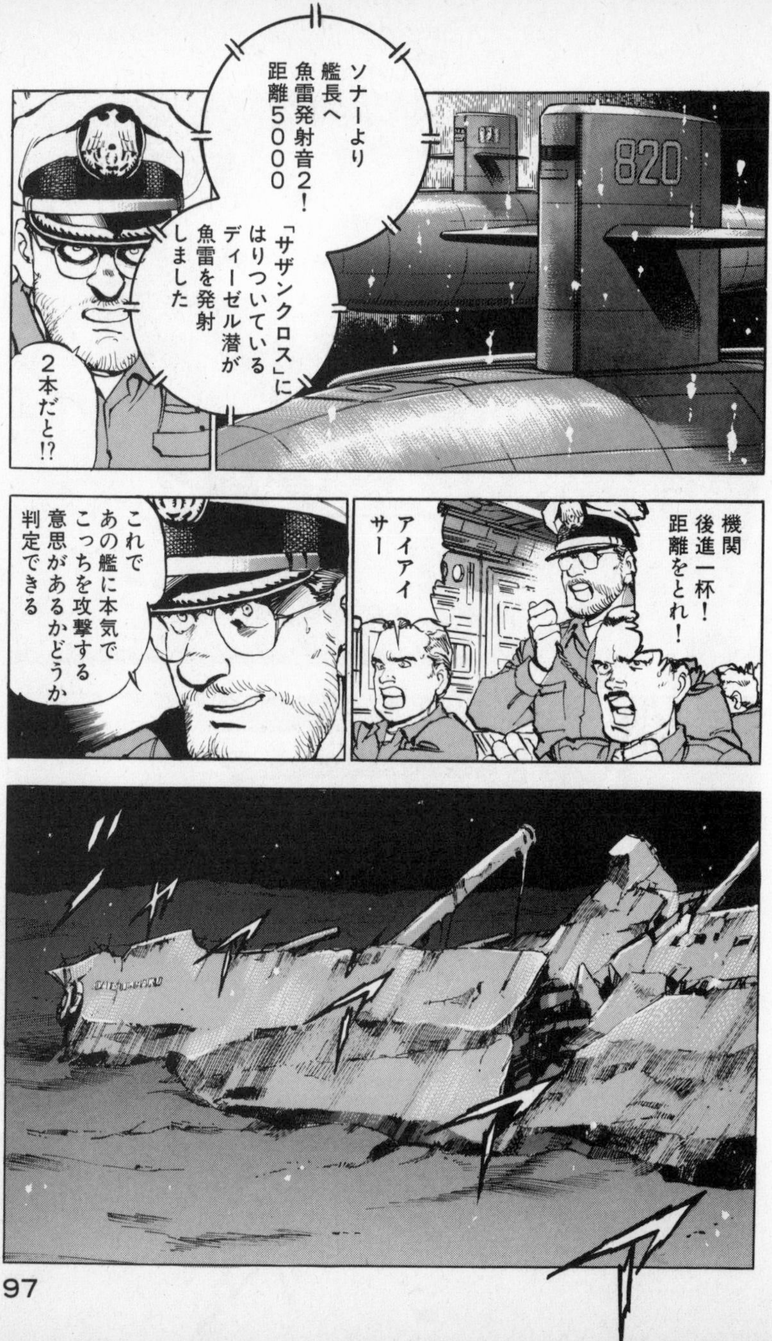
ソナーより艦長へ
魚雷発射音2！
距離5000
「サザンクロス」にはりついているディーゼル潜が魚雷を発射しました
2本だと!?
機関後進一杯！
距離をとれ！
アイアイサー
これであの艦に本気でこっちを攻撃する意思があるかどうか判定できる

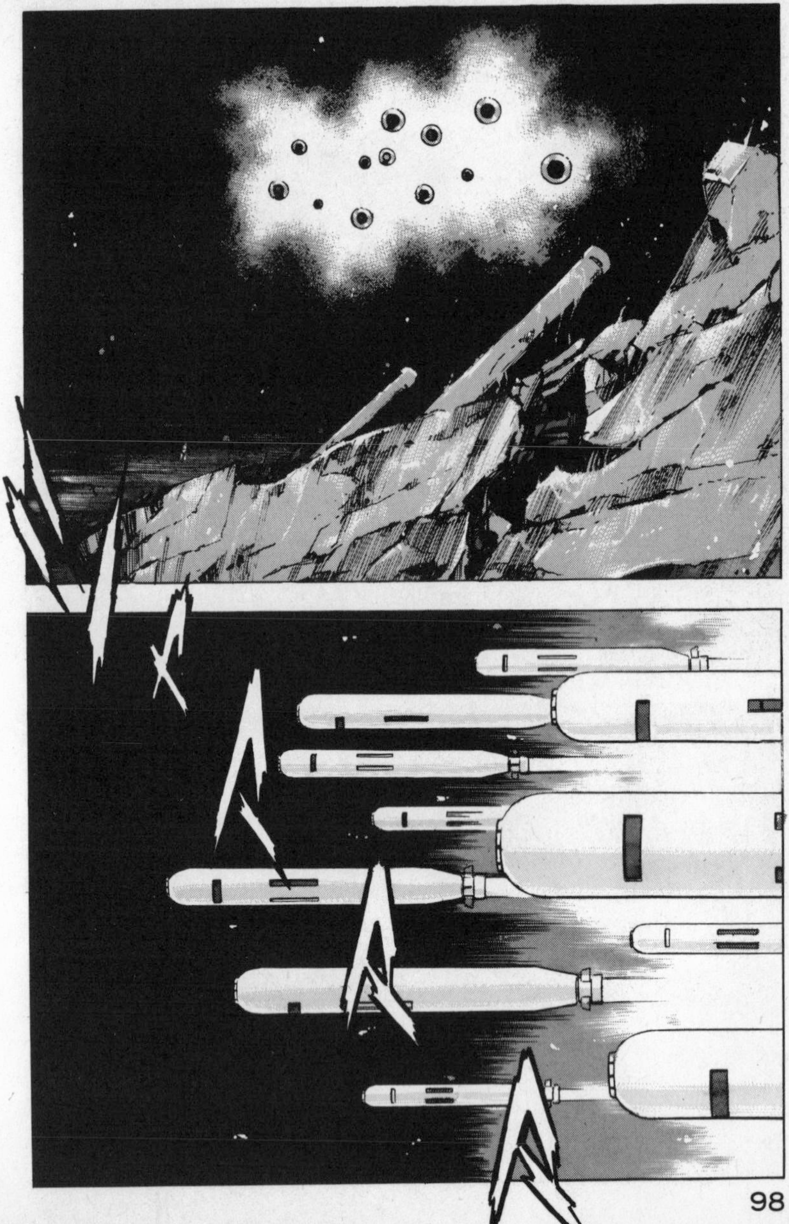

目標まで2秒
1秒!
当たれ!
ドド
ド

グワッ

「サザンクロス」1000メートル手前の海底に爆発音！
ワッ

DAISHINMARU
ド
ガ

総理 横須賀に向かった第2護衛艦隊群が観音崎で米艦艇の規制を受け停船中です！
乗員脱出用のCH—47Jヘリの用意を急いでくれたまえ
ハッ
魚雷攻撃が始まった以上船舶による脱出は不可能
攻撃の規模によっては 脱出が早まることも考えられる！

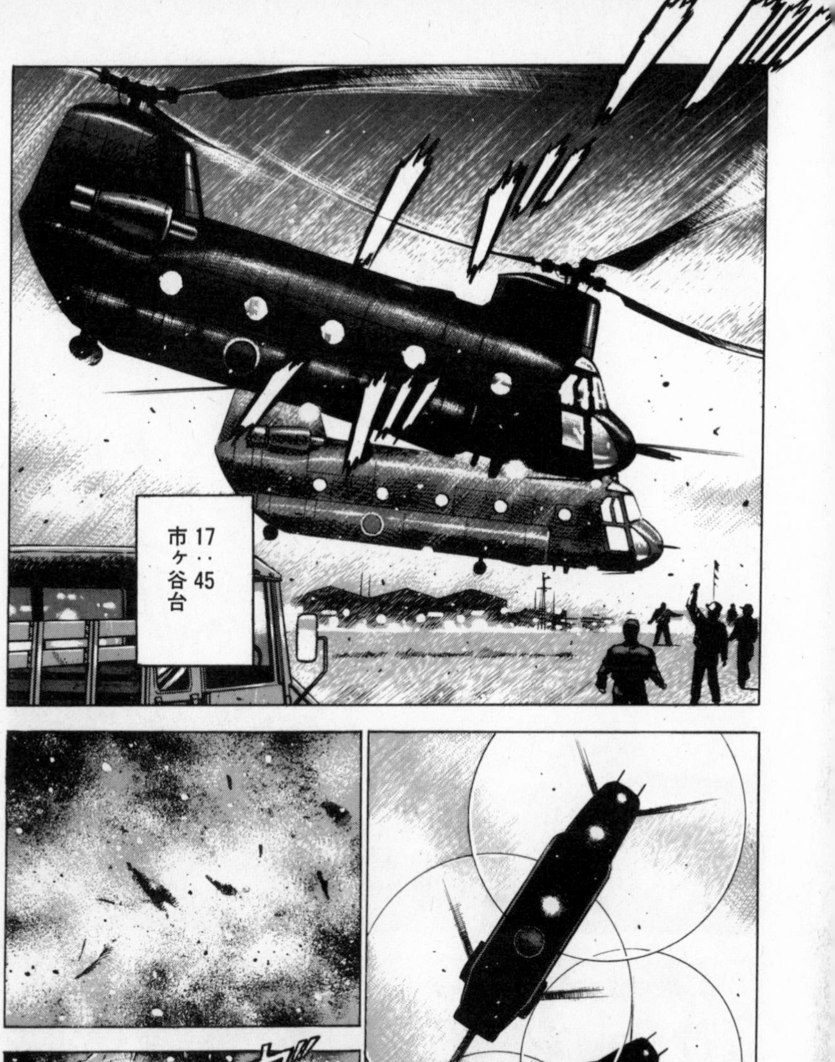
17:45
市ケ谷台
カッ!!
第2大進丸
DAISHINMARU

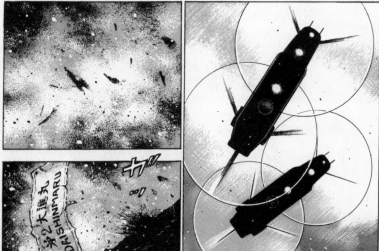

ゴゴオオ

艦長 来ますぜ
魚雷です
何本だ!?
わかりません!

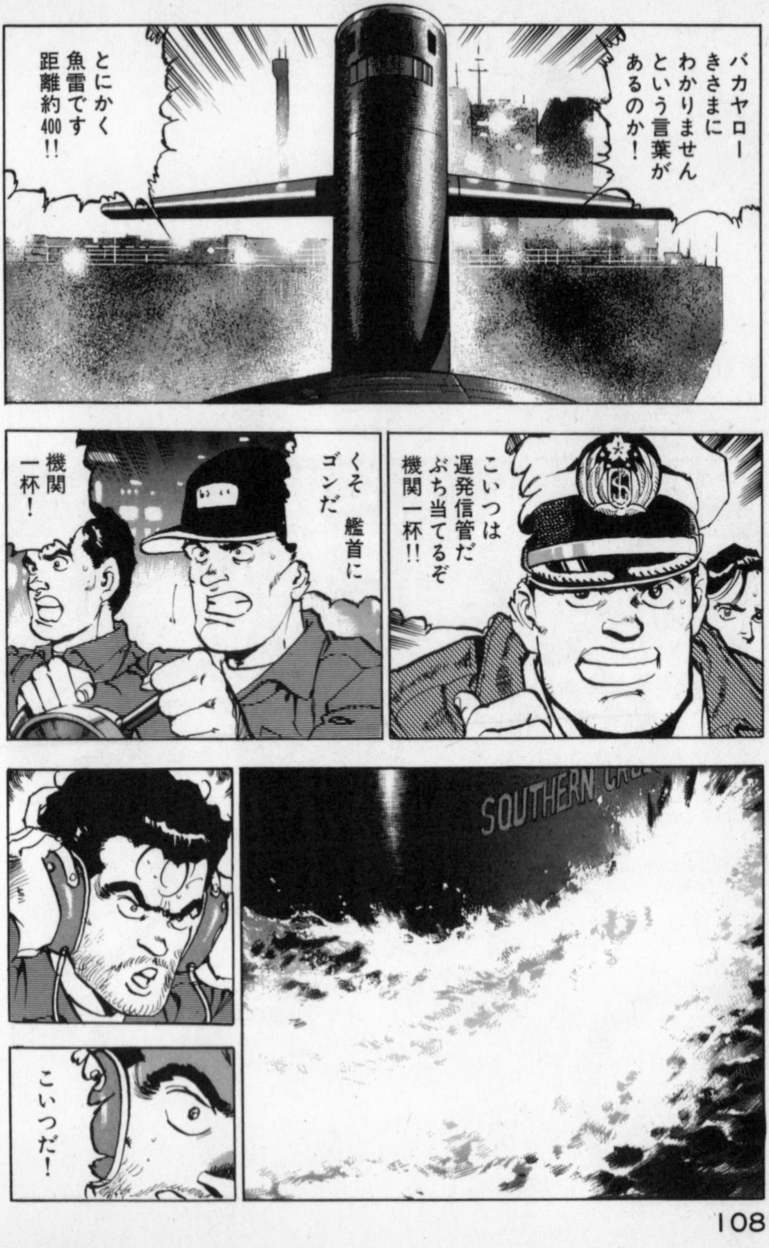
バカヤロー
きさまに
わかりません
という言葉が
あるのか！
とにかく
魚雷です
距離約400!!
こいつは
遅発信管だ
ぶち当てるぞ
機関一杯!!
くそ　艦首に
ゴンだ
機関
一杯！
SOUTHERN
こいつだ！

左舷50°
距離200!!
取舵一杯
全速!
取舵一杯
全速
艦長――ッ
もう1本
右50°!!
なに
――ッ
ヤロ
……

艦長!!
舵
このまま!
ゴゴ
ぬおっ

魚雷
右舷通過!!
「サザンクロス」の
左舷艦尾に
向かいます!
左舷だと!?

ドド

チッ
チッ
「サザンクロス」左舷艦尾被弾
「サザンクロス」が動いた……!?

ウワッ
これで
両舷に1本ずつ!
脱出のためです!海江田艦長は艦のバランスを保つため左舷に魚雷を受けたんですよ!
バカヤローーッ こっちが魚雷を逃がすことを計算に入れやがったってのか!!

こちら
コントロール！
左舷艦尾に魚雷
第3甲板より
浸水！
トリム
水平に
戻ります！

アメリカも
アメリカだが
海江田　きさま
とんでもねえことを
しやがる！
ゴオオ
あと
1時間……
アメリカよ
「やまと」が
そちらに
与える時間は
それだけだ

VOYAGE 100 横須賀沖海戦I／END

VOYAGE 101
横須賀沖海戦II

18:00
「サザンクロス」は
被弾した左舷
あたりから黒煙を
上げています
海上自衛隊
12
魚雷2発を
受けながら
なお
艦内ドックでは
「やまと」の補給・点検
作業が急ピッチで
進められています

こちら
ソナー
命中音1!
後は全弾
沈船の破片に
衝突　センサーが
狂って水没した
ようです
やっかいな艦が
あの浮きドック《ターゲット》に
張りつきましたネ
だがこれで
あのディーゼル潜に
与えられた命令が
ハッキリした　奴は
時間を稼ぐだけの
護衛任務だ!
こっちを
攻撃する意思が
ないことさえ
わかれば
今度は
こっちも
思い切った作戦が
とれる!

機関前進
取舵《とりかじ》20°!
機関前進
取舵20°
アイ
右舷
500メートル
エンジン音
艦長 僚艦・
「トレド」が
面舵《おもかじ》を切ります
OK!
「トレド」よ
「サザンクロス」
の右舷に回れ
二手《ふたて》に分かれ
さらに近距離から
同時攻撃だ
それでとどめを刺す!

!!
艦長!
距離5000
エンジン音2
分かれます!
分かれて
前進して
きますぜ!

分かれた……!?
今度は「サザンクロス」の両側から同時に魚雷を射ち込む作戦ですネ
これでお手上げです！
誰が手なんか上げるか潜航だ！
ハ
潜航!?
航海長 左に回った艦の針路をはじき出せ！
ハッ

20分後に水道航路を突っ切って第3海堡の浅瀬に達します
向こうはこっちが攻撃しないとタカをくくった
艦長一体何を!?
だから平気で近づいてきやがるんだ
ベント開け潜航!!深度20につけ!
ベント開け深度20!!
……
針路0—1—8
針路0—1—8よし

見てろ
ヘドロを
なめさせて
やる！

18：30 ホワイトハウス プレス・クラブ
アダムズ国連事務総長が大統領に非公式に緊急会見を！
あの書斎派が積極的に事件解決の調停に動いているそうだ
友人のBBCプレスの話だが 事務総長は日本の提案を受けて常設国連軍創設をほのめかしているそうだ
事務総長はイギリス・ドイツ・ソ連大使館も回ったらしい！
それじゃ「やまと」攻撃を中止させようと詰めてるな

残念ながら攻撃を中止することはできません……な
国際平和に脅威を与え続けている「やまと」に対しての武力行使は5大常任理事国の承認を受けたものだ事務総長個人の意見では変えることはできない
しかしベネット大統領

現在「やまと」および
自衛隊は　国連の
軍事参謀委員会に
その指揮権を
預けている
その結論が
まだ出ておらん
のじゃ
それに　ペルーや
ニュージーランド
など　日本提案を
考慮したいという
国もある
事務総長　あなたは
総会ならびに理事会
決定の忠実な履行者
であり　その枠を
はみ出すことは
許されていないはずだ
同時に
国際平和の番人で
あることも
確かで……な
「やまと」事件は

世界が近い将来に迎えるであろう核テロリズムや国家間紛争に対処するヒントを与えておる
紛争拡大を未然に防止しうるヒントだ
核を持った常設国連軍を持とうと言うのか
日本の協力を得る上でも「やまと」は国連指揮下に置きたい！
その役割は……

莫大な予算をつぎこんで過去も　そして現在も
この合衆国が果たしておる！
東西冷戦が消滅した現在
アメリカはその任から降りるいい機会だと思うが

ドドド
ワッ
左舷・右舷
両方から
来るぞ！

第4甲板 Dフロア 浸水
D1・D2 シャッターを 降ろせ！
左舷に 10°傾斜！
艦長「たつなみ」が 潜航したそうです 防戦を放棄したのでしょうか
深町は 1000メートルの 深海に没しても任務を 放棄できる男ではない あくまで時間を稼ぐ気だ

ガ" ガ" ガ"
と 言いますと?
魚雷を射たないと なると 残る手段は ひとつだ
コントロール より艦橋《セイル》へ 作業終了まで あと30分です
深町 おかげで 貴重な時間が 稼げた
作業が終わり 次第 ドック 作業員は 上甲板へ!
ハッ

艦長
潜航した
ディーゼル潜が
消えました
消えた
!?
優秀な艦にしては
あきらめが
よすぎるな
魚雷制御室
1番から6番
魚雷発射
準備完了!
一斉発射!
発射!

艦長 魚雷発射音
距離500
相手は深度60で変わりないか
変わりありません 丘の向こう 深度60 5ノット
よし 次の魚雷装塡まで5分はかかる! 30秒後に機関全速 深度30につけ! アップトリム20°!
機関全速!!
ハッ
アップトリム20°!!

グ
艦長　前方にエンジン音
なに
距離500！
近づきます！

ディーゼル潜
「たつなみ」!!
本艦の
上か下か!
深度40
いや35
おそらく
正面上方
です!

艦長
魚雷を！
間に合わん
回避だ
どうせ
あの艦は
何もできん！
ダウントリム
20° 潜航して
かわせ！
ダウン
トリム20°
アイ！
浅いぞ
下辺スキャン
ソナー
開始

ワアッ
艦長 前方200メートルに隆起が！深度がとれません
なに！

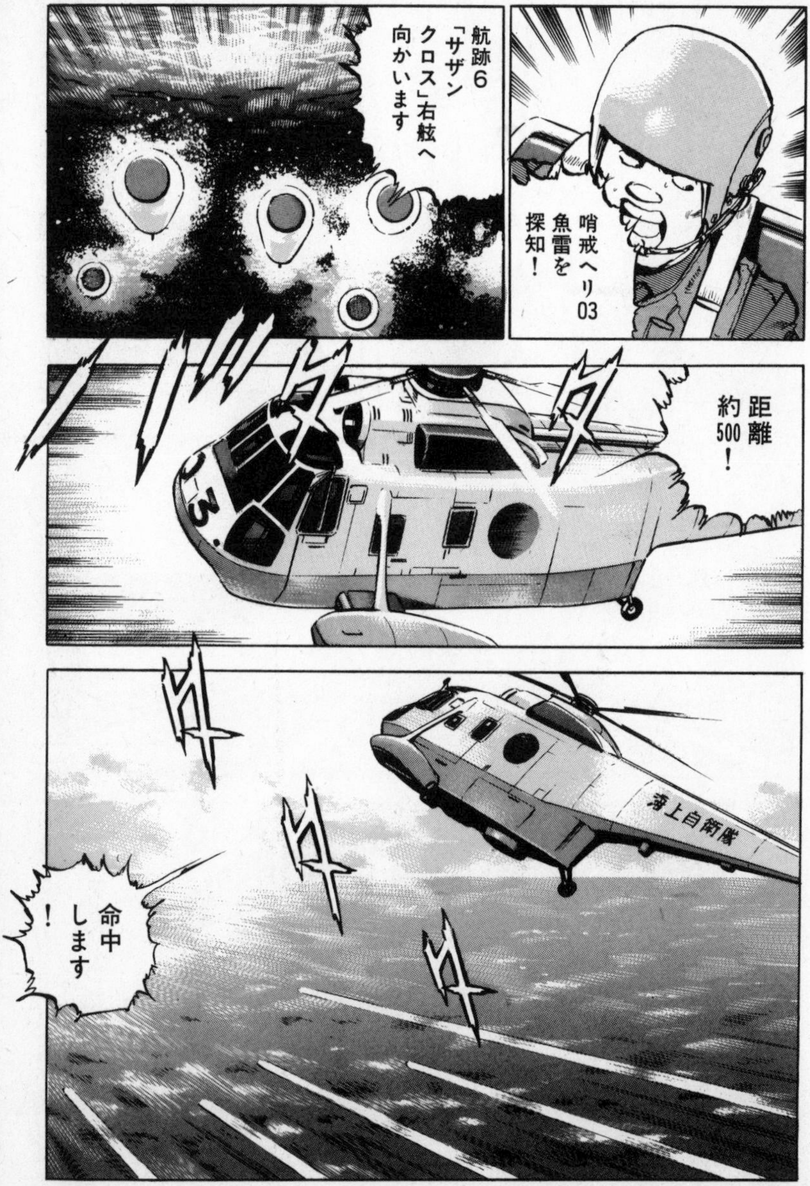
哨戒ヘリ03
魚雷を
探知！
航跡6
「サザン
クロス」右舷へ
向かいます
距離
約500
！
海上自衛隊
命中
します
！

アップトリム一杯！
ダメです上には「たつなみ」が

全員　衝撃対応姿勢をとっておけ
距離50！
20！
10!!

820

国連軍とは 国家利害に左右されぬ 軍でなければならぬ！ そうでなければ 国際紛争の解決は 不可能だ
「やまと」は その要件を 備えているのでは ないかね？
あの艦に 国連軍という 権力を与えて
世界が 枕を 高くして眠れると 思っているのか⁉
それが最終的には アメリカにとっても 最良の選択だと 私は信じている！

VOYAGE 102
乗員退艦

「やまと」の国連軍化がアメリカにとって最良の選択だと!?
世界秩序維持のためわれわれは信念と誇りを持って世界中に軍を派遣しているのだ
少しもそれを重荷だとは考えていない
あなたの意見には同調しかねる！
だが　これからは一国の力では秩序の維持ができなくなるのではないかね？

「やまと」と自衛隊の国連軍化が実現すれば日本に莫大な軍事費用を負担させることができるそれは即ち
貴国を始め世界的規模での軍縮つまり軍事予算の軽減が可能になると思うのだが
国連が夢を語ることは危険なのだ!

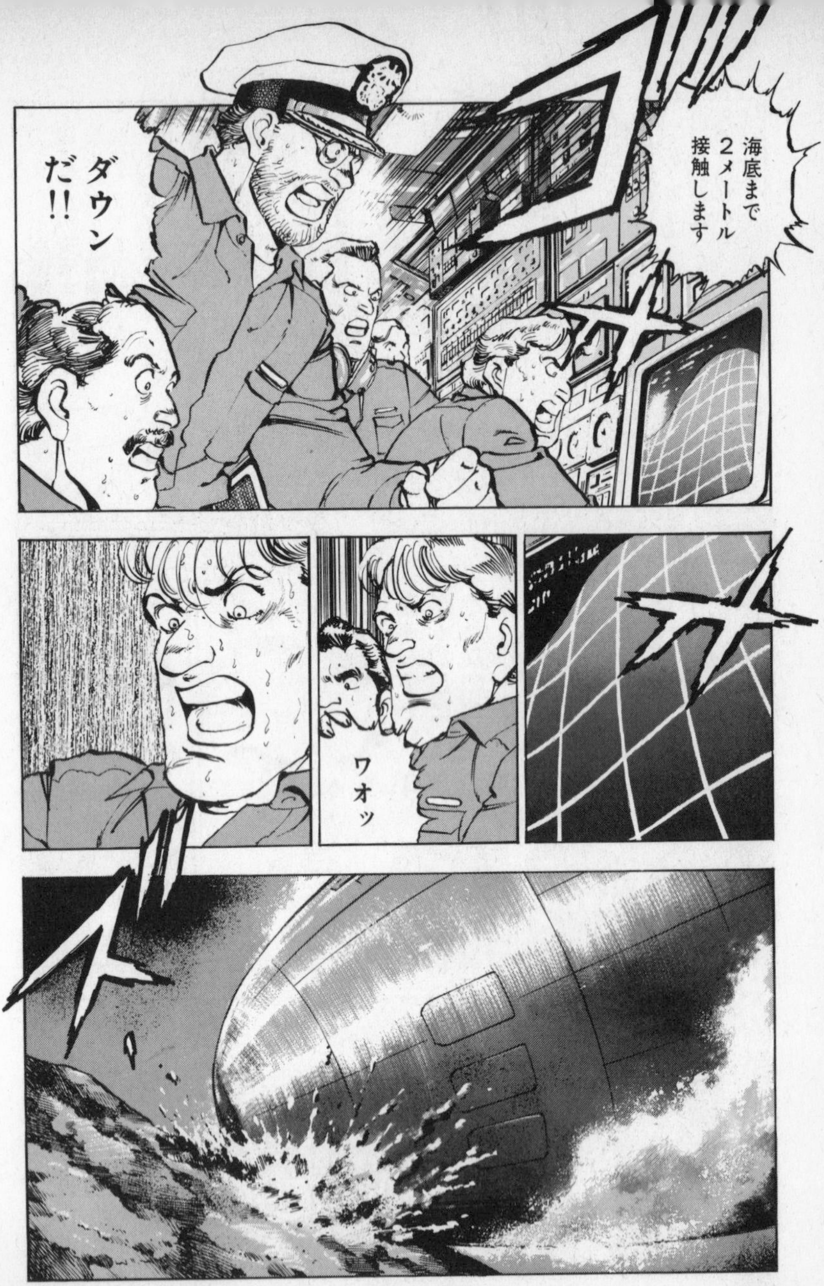

海底まで
2メートル
接触します
ダウン
だ!!
ワオッ

120

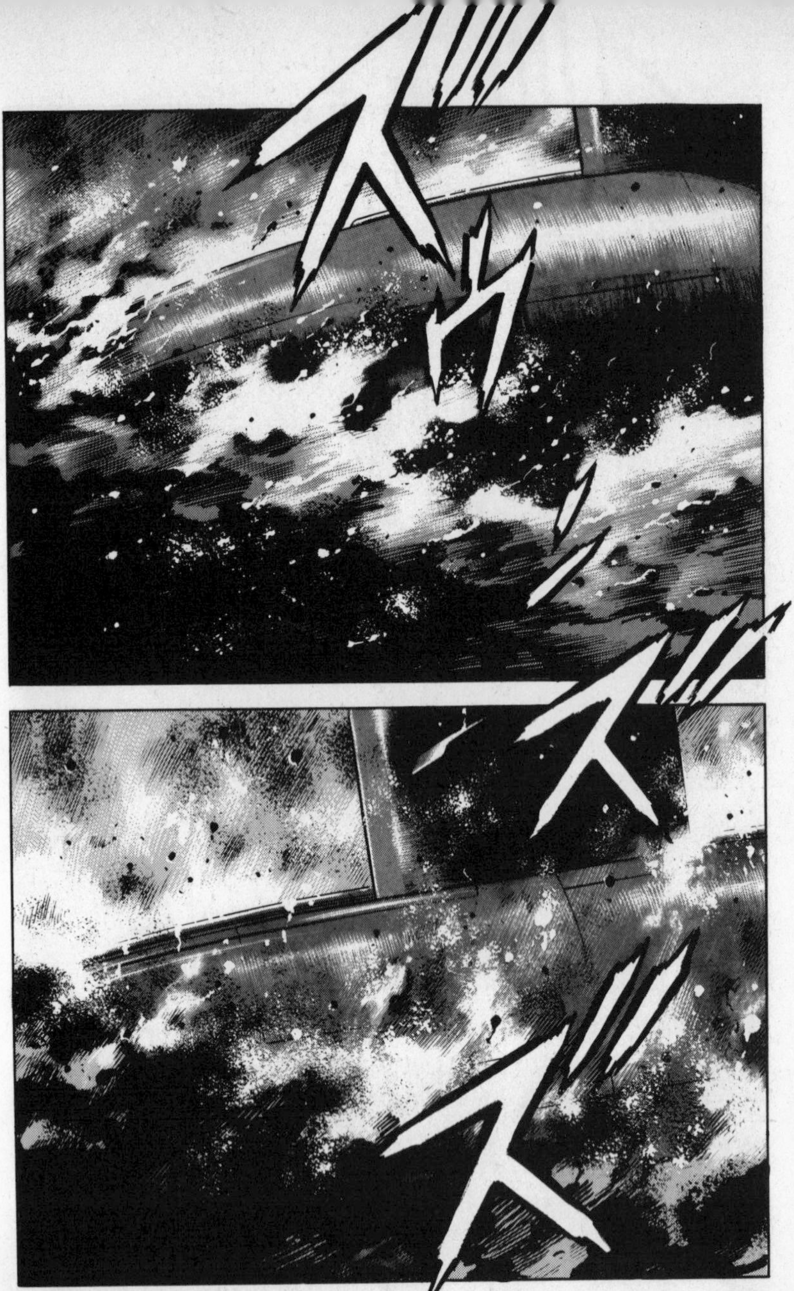
ズウ
ズズ

ワッ
艦が海底に
飲み込まれるぞ！

ハア
ハア
!
キュッ
キュッ
こちら水測
米原潜の海底への
衝突音　後方
距離100!
艦体破壊音は
ありません
おそらく
ヘドロに
埋まって
停止した
もよう
あわてて
アップトリムを
かけるような
マヌケな艦じゃ
なくて
カチ
助かり
ましたネ!

取舵《とりかじ》50°！
右へ回った
もう1艦を
捕捉《サーチ》する！
速力
5ノットに
落とせ！
ハッ
取舵50°
機関
5ノットに
ダウン
よし

機関逆進最大
メインバラスト・タンクブローーーッ!!

艦長 艦体の半分がヘドロに埋まっています
浮力が得られません！
艦が右へ20°傾斜！
G1・G2シャッターを開け
左舷フロアーに注水

艦の水没が止まりません!
艦長 これ以上攻撃を受けたら一気に沈没します!
作業員の生命が危《あや》うくなりますよ!
!
左舷60° 大型ヘリが見えます!
脱出用の陸上自衛隊機47Jだ

471
472

艦長 19：50
脱出用CH－47Jが
上空に到着！
着艦スポットを探す
ためホバリング中！

ライアン大佐
本艦の建造時より長きにわたり原潜操艦のためのわが乗員に対する熱意ある教育指導に感謝の意を表したい
ならびに艦内の不自由をお詫びする
諸君はニューヨークまで航行するつもりか

もちろん
国連総会出席は
避けて通れない
プロセスだ
私が出席
できるか
どうかは
わからぬが
どこであろうと
「やまと」事件の
あらゆる真実を
証言することを
約束しよう
竹上総理以下
日本政府の
わが国に対する
友好的な対応を
心より感謝する
ハ
ハア
浜本大使
ハッ

し しかし 私の任務は
最後まで 乗艦し続けて ……
あなたには 本国で もっと 大きな任務が 控えている
ハッ
艦長 19:55!
補給・点検 作業の全てが 終了しました!
よし! 出航準備!

船長
ドック内の
全作業が
終了しました！
よし！
カチ
こちら船長だ
ドック内の
全作業員に告ぐ
ご苦労だった
作業が終了した！
ウオーーーッ
やったぞ!!
上甲板に
輸送用ヘリが
到着 着艦準備
に入った！
乗員は全て
上甲板に
集合せよ！

10分後
ドック内に
注水を
開始する！
同時に
全員本艦を
脱出する！
あと30分
魚雷が来ぬ
ことを祈る！
脱出だ！
上甲板へ
急げ!!

ズ
ギュ
艦長 魚雷管注水音探知 米潜です
方位 0−8−5 距離 3000!
まだ向こうはこっちに気づいてませんぜ!

カチ
よし 取舵20° 全速でケツをとってやる!
!
艦長!! 待って下さい!
何だ!
まずいス 右舷50° キャブノイズ3!
米原潜 エンジン音3 距離2000!
なにぃ!!

相模湾で沈底警戒していた3艦です！やってきました！
退船予定時刻……です！
おそらく「サザンクロス」の上甲板は　乗員であふれているでしょう
今攻撃されたら乗員が……!!
魚雷戦用──意！
カチ

19：55
「サザンクロス」
ドック内での
「やまと」補給・点検
作業が終了！
471
「サザンクロス」の
全作業員に
退船命令が
出されたもよう
上甲板に集合
します！

VOYAGE 102 乗員退艦／END

CH—47J08機より「サザンクロス」艦橋《セイル》へ!!
VOYAGE 103
脱出

国連に必要なのは夢ではない！現実的な判断能力だ!!
〝核〟はオモチャではない〝核兵器〟に関して最も重要かつ必要なポイントは
それを抑止する能力だ
世界の警察力として各国の信頼を得るには何より豊富な実戦経験が必要なのだ
自衛隊など誰が信用するのか!?

ましてや日本は
〝核〝アレルギーは
あっても　一度も
〝核〝をコントロール
したことのない国だ
そんな国の軍隊を
〝核〝を持った
国連軍の中枢に
すえてみろ
世界に
混乱と破滅を
招くだけだ！
フム
……
〝核〝のコントロールが
国連軍の条件ならば
〝核〝抑止力の行使・
戦闘能力においても
「やまと」は
条件を満たしつつ
あるのでは
ないかね？
何だと！

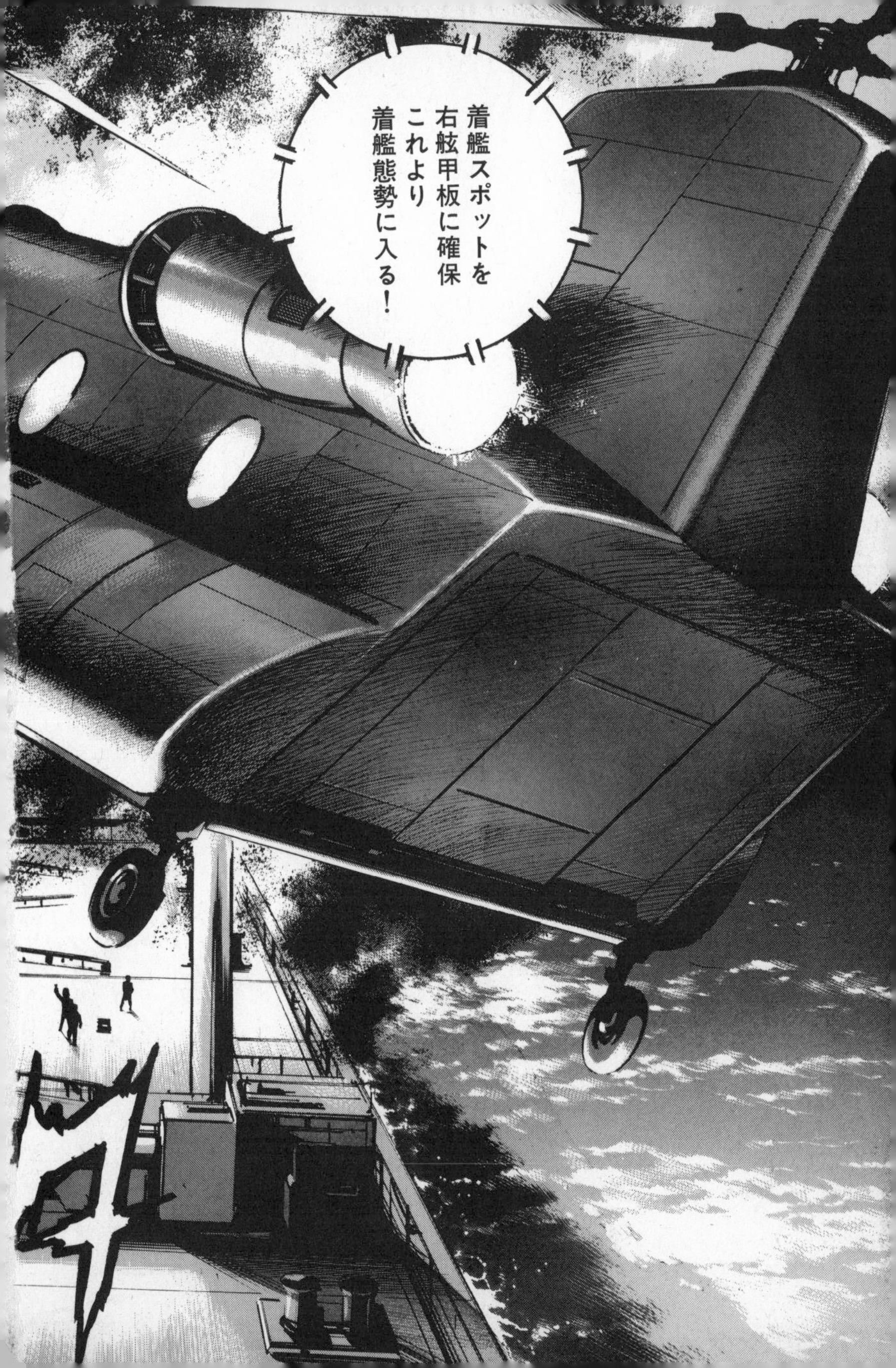
着艦スポットを
右舷甲板に確保
これより
着艦態勢に入る！

CH・09機 左舷甲板に 着艦態勢に 入る!
「サザンクロス」艦橋より 08・09へ
艦は5°右舷に傾斜して水没中 気をつけろ!
了解

ハ!?
カイエダの宣言した20：00ジャストだ
またひとつカイエダは自らの宣言を世界に実行して見せた……
世界は……カイエダの予言を信じざるを得なくなってくる！

825
魚雷管全門注水完了！
825
発射準備ＯＫ！
これがとどめだ「サザンクロス」！
魚雷全門発射準備よし！

艦長！
射て！
これで
5分や10分は
時間が稼げる
収容準備
よし！
47
急げ！
コントロール
より
「やまと」艦橋へ
聞こえるか!?

感度良好だ
船長！
電気系統はまだ
やられてはいない
ようだ 今から
ポンプを稼動し
ドック内注水を
開始する！
艦体が浮く水量に
達するまで
10分はかかる！
では
艦底フロアーは
15分後に
開口するよう
オート・セットを
お願いする！
今 ドックに
注水すれば確実に
「サザンクロス」は
沈没するが
開口して
5分あれば
脱出可能だ

海江田艦長
このまま
「サザンクロス」を
東京湾の奥へ
戻す気はないか
エンジンは
まだ動く
東京湾から
脱出するには
この方法しか
ない！
急いでくれ
今 魚雷攻撃が
あれば甲板上の
作業員に多数の
死者が出る

この優秀な
自走ドックを
犠牲にするんだ
チャ
チャ
チャ
チャ
貴艦は
どうしても
ニューヨークに
行って
もらうぞ！
注水開始！
ドドドド
ドドドド
ドドドド

ドドドド

魚雷航走中！
キャブノイズ2 方位0—0—8 距離800！
魚雷が来ます！

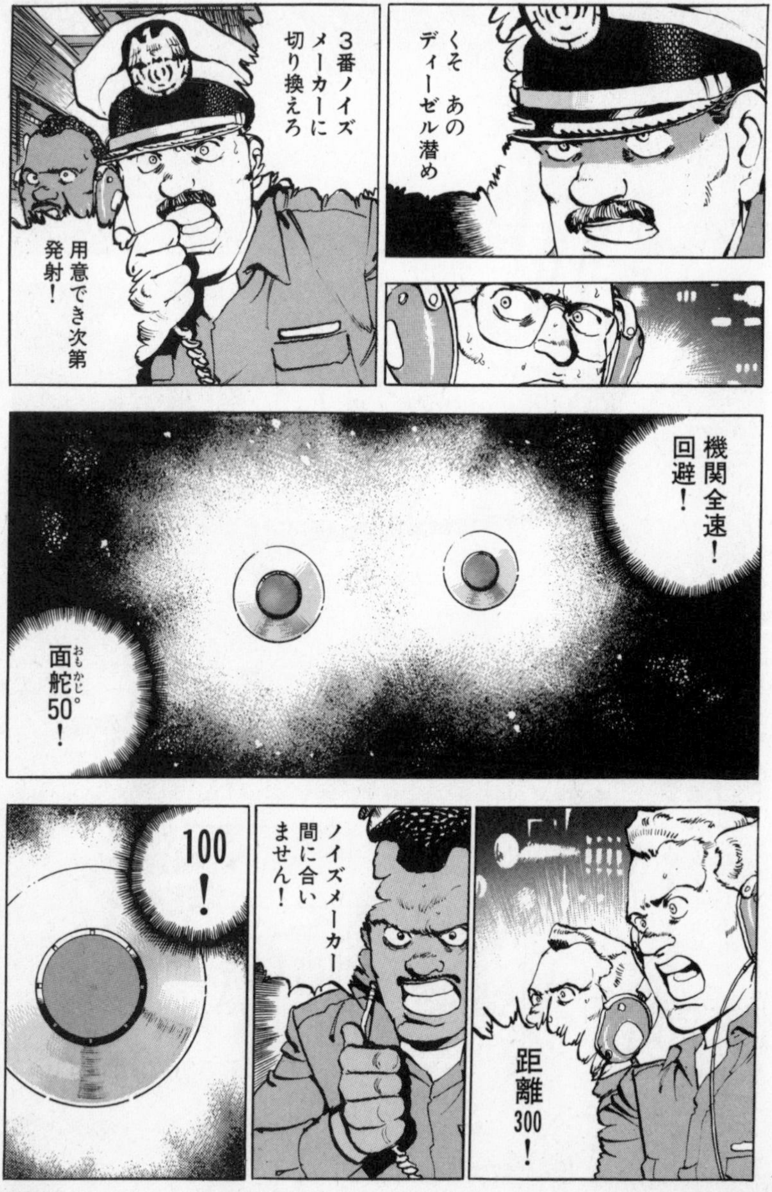
くそ あの
ディーゼル潜め
3番ノイズ
メーカーに
切り換えろ
用意でき次第
発射！
機関全速！
回避！
面舵《おもかじ》50°！
距離300！
ノイズメーカー
間に合い
ません！
100！

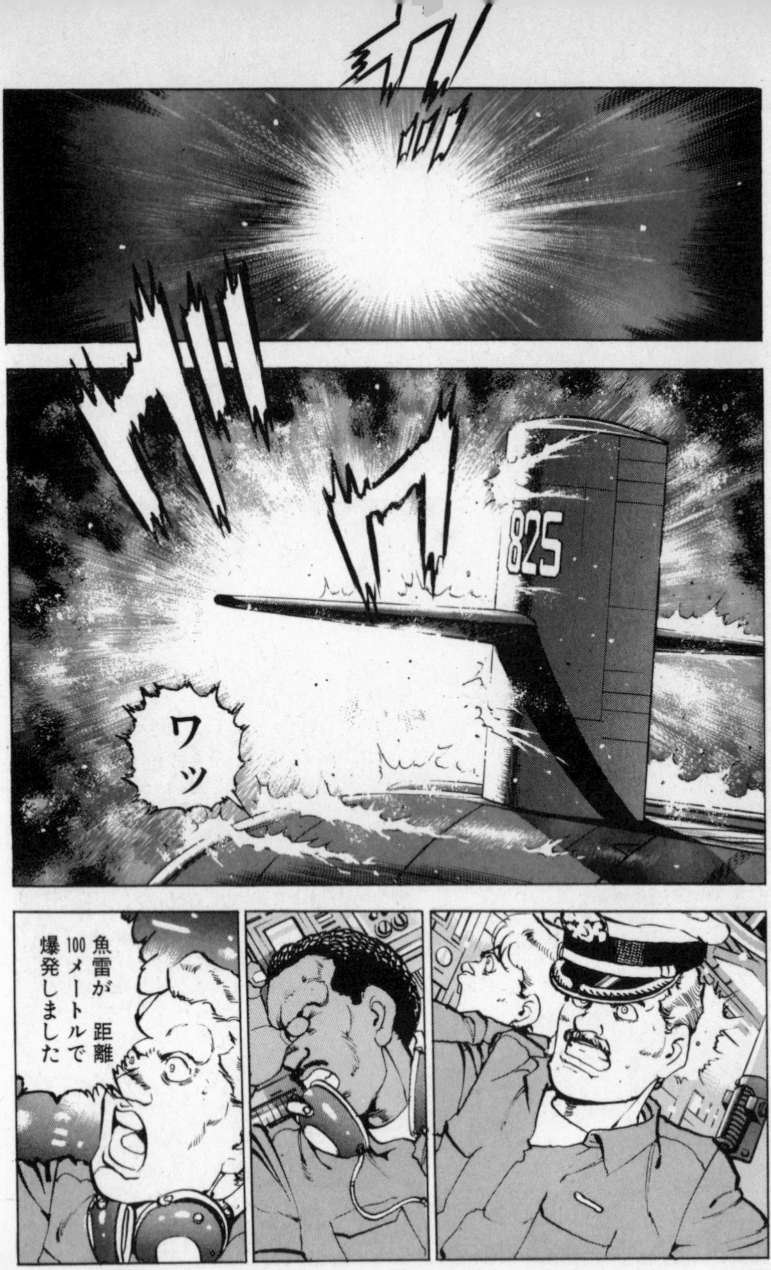
ワッ
魚雷が 距離100メートルで爆発しました

艦のバランスを崩すな!!
825

ドドオォ
魚雷だ!
カチ
艦長より「やまと」発令所へ

機関始動
潜航用意

艦回頭右50°！
突っ込むぞ
艦回頭右50°！
よし

VOYAGE 104
横須賀沖雷撃戦
471

ゴゥオオ
ピ
方位1―8―2
正面 3艦!
828
827
826

3番から5番
魚雷信管セット
2000メートル
以上　無制限!!
3艦
それぞれの
エンジン音を
インプットしろ
ハ!?
無制限!?
待って下さい
さっきの攻撃で米原潜はこっちの魚雷が艦の手前で爆発するものと思っています!
優秀な艦なら
そんな甘い
判断はせん!
こっちが射った魚雷に
瞬時に反応し
新たな作戦を
とってくる!
ハ!?

作戦を変更させれば
あの3艦の「サザンクロス」への攻撃は大きく遅れる！
もし　こっちの魚雷を甘く見て動かなければ彼らは被弾して沈む！
躊躇《ちゅうちょ》しているヒマはない！
武器を持って攻撃するために東京湾へ入ってきたんだ
好き勝手に他国を攻撃し殺戮《さつりく》するつもりなら
同量のリスクを負わねばならんことを相手に教えてやろうじゃねーか

それが"防衛力"の意味だ!!
こちらソナー さっきの敵の魚雷は 僚艦「ハンナトン」の手前で自爆したもよう
827
艦体破壊音なし!
カチ
やはり 爆圧で艦のバランスを崩すことが目的か
全管 魚雷発射用――意急げ!
アイアイサー!

副長
3番から5番
発射用意よし！
急げ！
先に射たれたら
「サザンクロス」が
18本くらうことに
なるぞ
カチ
発射!!

こちらソナー
ディーゼル潜から
魚雷が来ます!!
距離2400!
艦長!
826
魚雷発射できる
までの時間は!?
あと3分
です!
距離2300!
命中まで
4分!

2番魚雷をノイズメーカーに切り換えて回避！機関全速・転舵！
面舵一杯
機関全速 面舵一杯 サー！
826
827

艦長 僚艦「タクト」と「サンタフェ」全速で左右に転舵します
両艦は〃猫だまし〃の魚雷ではないと判断したってことだ！
本艦は動くな！
「サザンクロス」への攻撃準備を進めろ!!
あのディーゼル潜の任務はひとつ
センシュボウエイという名の威嚇《いかく》だ！

水測！米原潜の動きは!?
2艦だと!!
2艦がけたたましく全速転舵!!
こいつらは「タクト」と「サンタフェ」です
こっちの魚雷2本がそれぞれ追尾中！
826

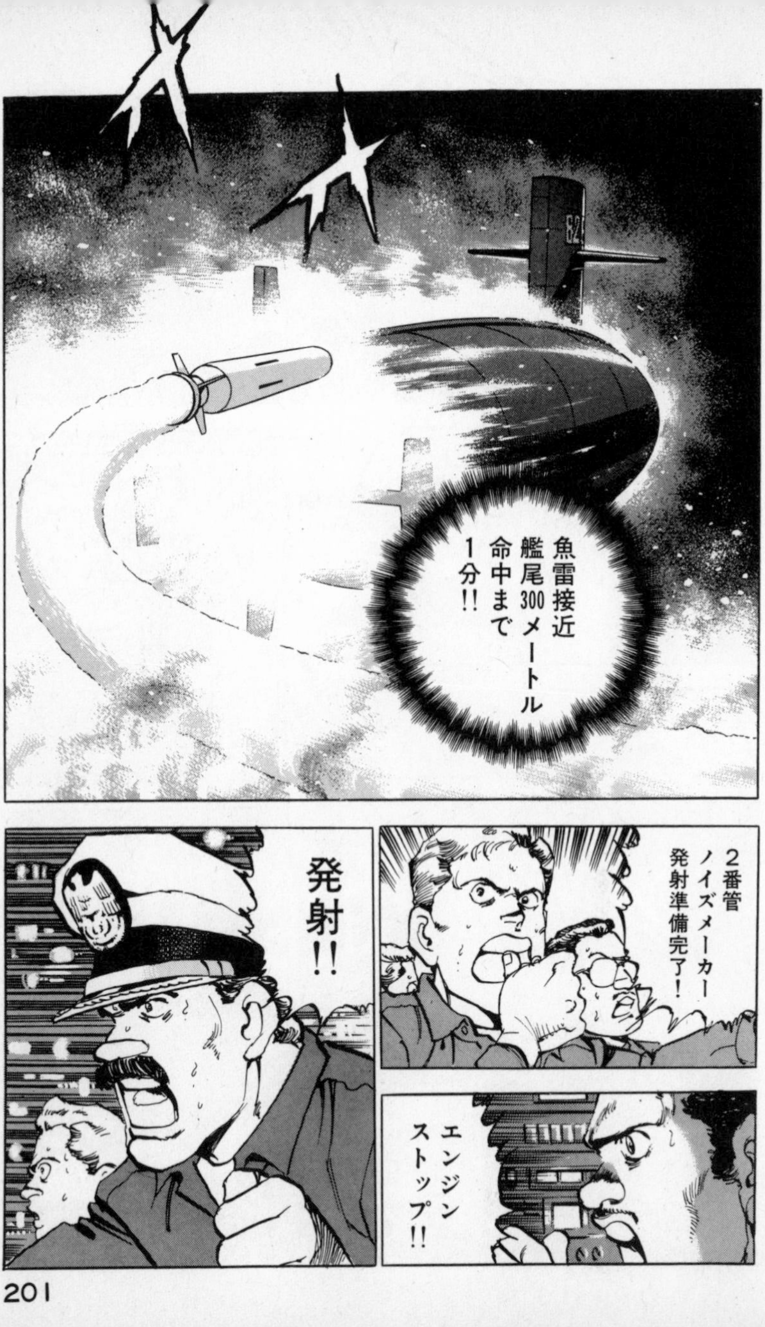
魚雷接近
艦尾300メートル
命中まで
1分!!
2番管
ノイズメーカー
発射準備完了!
発射!!
エンジン
ストップ!!

追え！
囮《おとり》魚雷を

敵魚雷
ノイズメーカー
を追尾!
当たります!
ワッ
826
あの魚雷は
……威嚇《いかく》では
なかった!!

魚雷全門発射準備完了！
ソナー
敵の魚雷は!?
本艦正面300メートル向かってきます
いいか
この魚雷は手前で爆発する艦のバランスを崩すな！
爆圧が消えたらただちに全門発射だ!!

250!!
距離100!
200!
なに!

ド

魚雷命中！
艦体破壊音！

827

「ハート・フォード」が沈みます
CH―47Jヘリ08・09機ともに離艦準備完了
艦が右に20°傾斜します！

「サザンクロス」への攻撃は「サンタフェ」にまかせる！
ディーゼル潜の艦尾に回り込め!!
アイアイサーーー！
ゴゴゴ
826
機関全速面舵一杯！
「タクト」を引きつけろ！

VOYAGE 104 横須賀沖雷撃戦／END

VOYAGE 105
「サザンクロス」轟沈

ゴォォ
水測より艦長へ「タクト」が後方に回り追ってきます距離2800！
よーし そのまま喰いつかせろ！
「サンタフェ」の位置は まだ捕捉できんか!?
こっちは現在「サザンクロス」南西約3000です
近くにいると思いますがこのスピードでは探知できません！
よし 1回だけ探信《ピン》音を打て

!!
ピンをですか
それでは「サンタフェ」にこっちの位置を
すでに向こうは魚雷の照準を「サザンクロス」につけている！
こっちを狙うか「サザンクロス」を狙うのか迷わせるんだ！
ハッ
バカヤロ教えてやるんだ鼓膜が破れるほど派手に打て！
ハ
副長 魚雷の残存本数は!?
ハッ 残り4本！
艦長 魚雷だけではありません 浮上充電しないとあと5分もバッテリーがもちません

それだけ
あれば
充分だ！
南波《なんば》
探信音波《ピン》を
打て！
速水《はやみ》
同時に
1番2番
発射だ！
ハッ！
ピ
カ

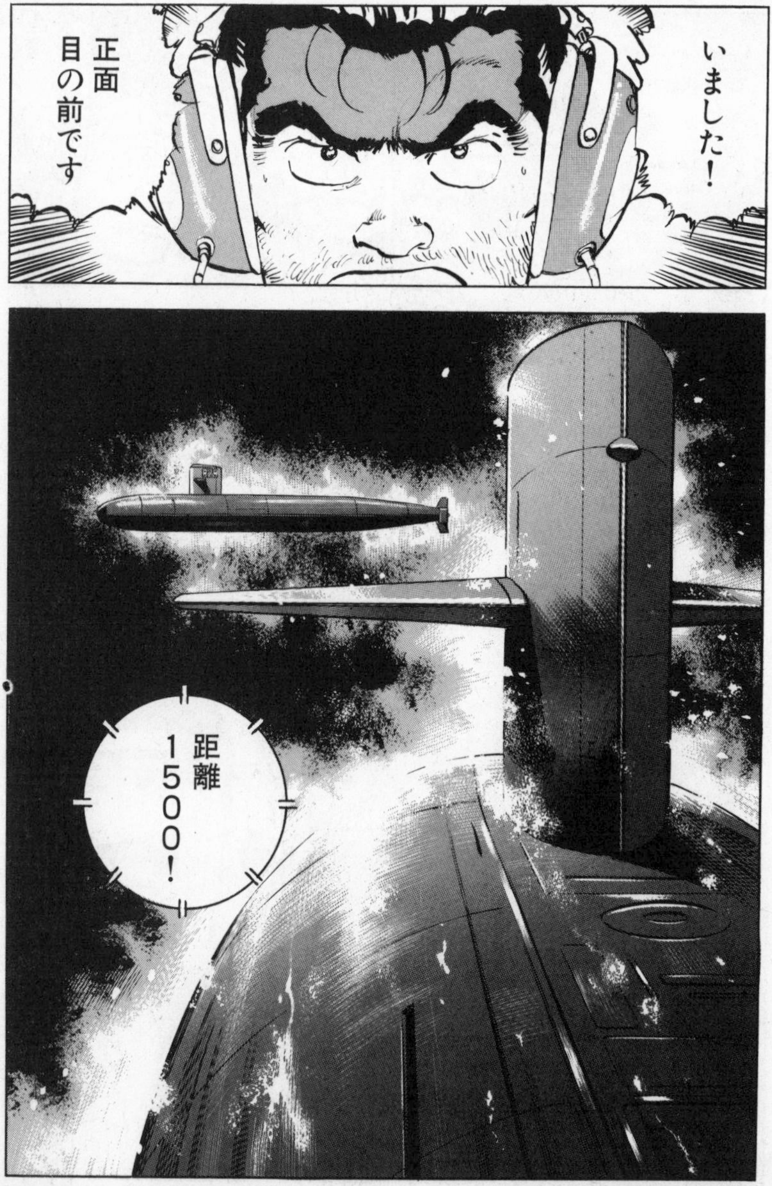
いました!
正面
目の前です
距離
1500!

米原潜「タクト」
艦長 今の探信音はディーゼル潜が
この位置での魚雷攻撃は危険です
「サンタフェ」が射程に！
そのディーゼル潜の針路に「サンタフェ」がいます！
なに
くそう……！
艦長 ディーゼル潜がなおも突っ込んできます
距離1300！
ということは「サンタフェ」からもディーゼル潜を撃てんのか！

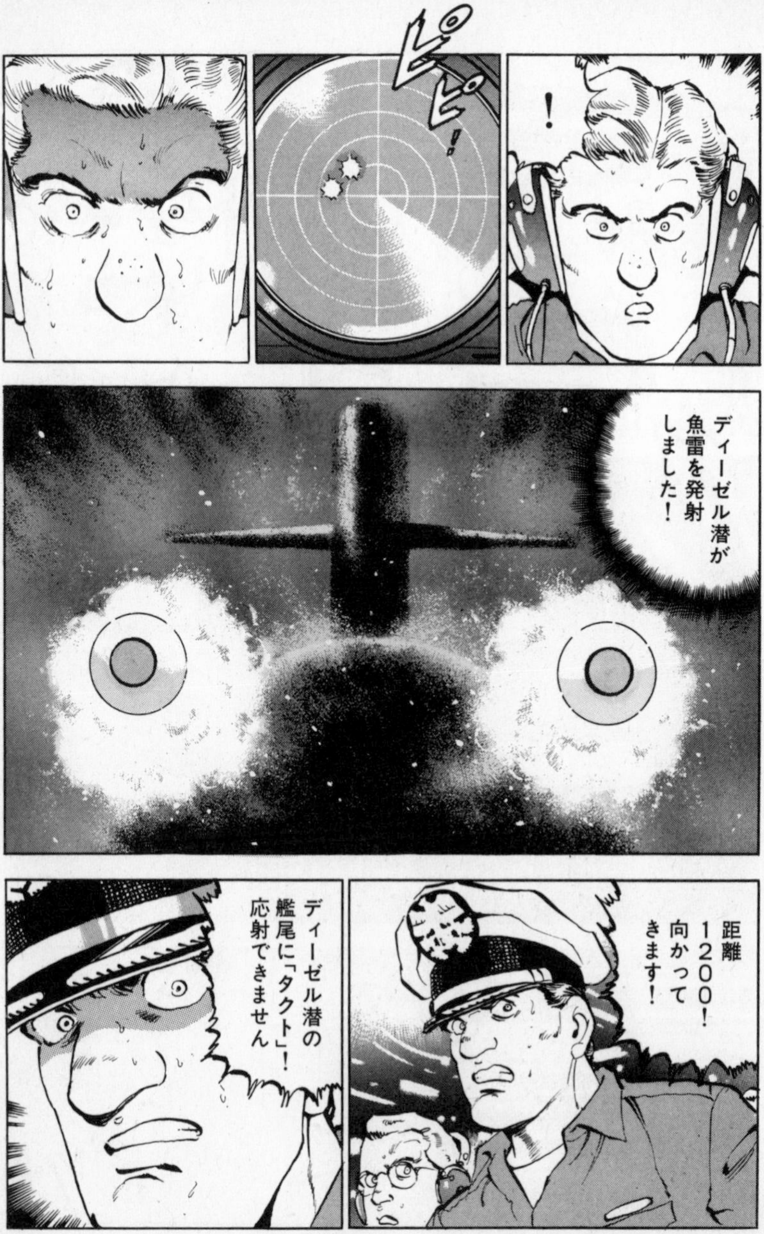
ピピ！
！
ディーゼル潜が魚雷を発射しました！
距離1200！向かってきます！
ディーゼル潜の艦尾に「タクト」！応射できません

回避だ「サンタフェ」!
こいつは威嚇《いかく》じゃないぞ
ジャアア
魚雷航走中!

あわてるな!
カチ
全門「サザンクロス」に向けて魚雷発射!
全門発射アイ!
ドドドッ
艦長!
「サンタフェ」魚雷発射!
なにい!

ウワッ
沈没するぞ
船長

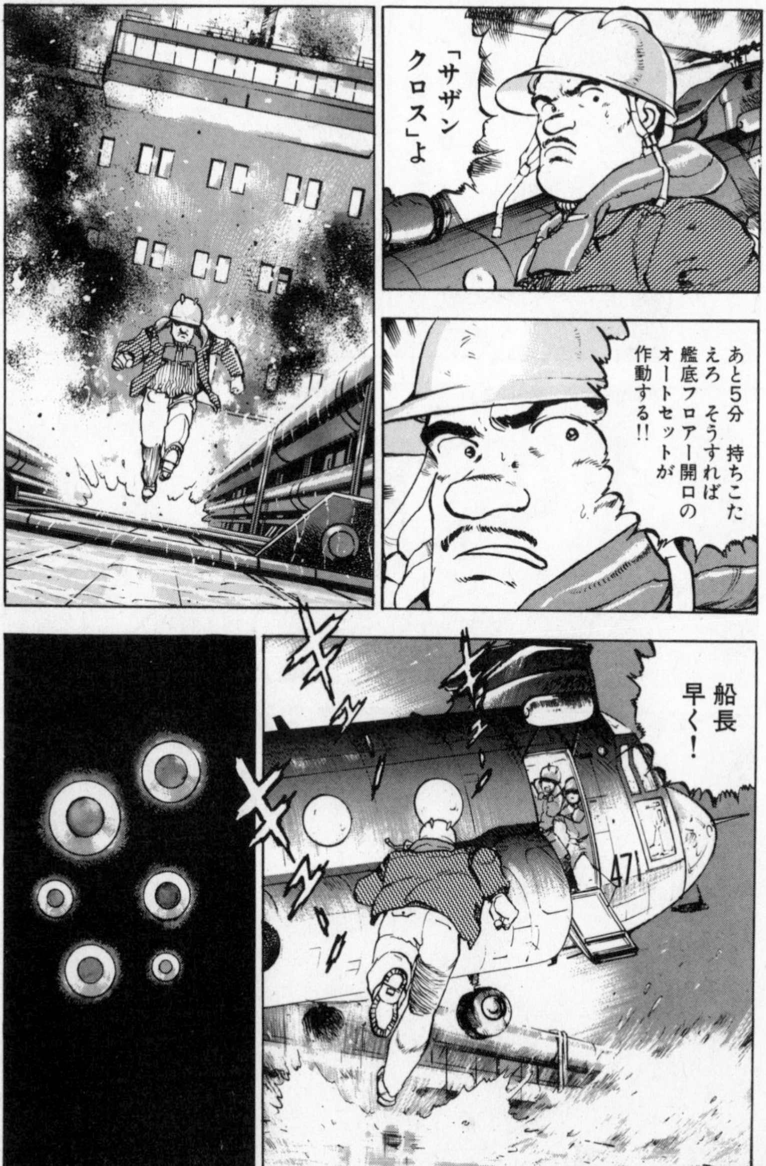
「サザンクロス」よ
あと5分 持ちこたえろ そうすれば艦底フロアー開口のオートセットが作動する!!
船長早く！

「サザンクロス」が危ないぞ
乗員救援ヘリは!? 何をしている!
海江田艦長が宣言した解放時間20:00を回りました
そろそろかと!
レスキュー隊を現場海域に!
ハッ
今「サザンクロス」が沈没してみろ!
「やまと」は脱出不可能!! 後は「サザンクロス」ともども米原潜のメッタ撃ちにあうぞ!

取舵《とりかじ》一杯
回避───ッ!!
ド
828
ン
「サンタフェ」
に魚雷命中!

漏水《ろうすい》防げ!!
電気系統故障──ッ
メインタンクブロ──ッ
タンクブローしません!
「サンタフェ」沈降します!
全艦総力をあげてあのディーゼル潜を沈めろ!

828

魚雷!!
「サザンクロス」に魚雷距離300!
航跡6右舷に命中するぞ!
離艦!

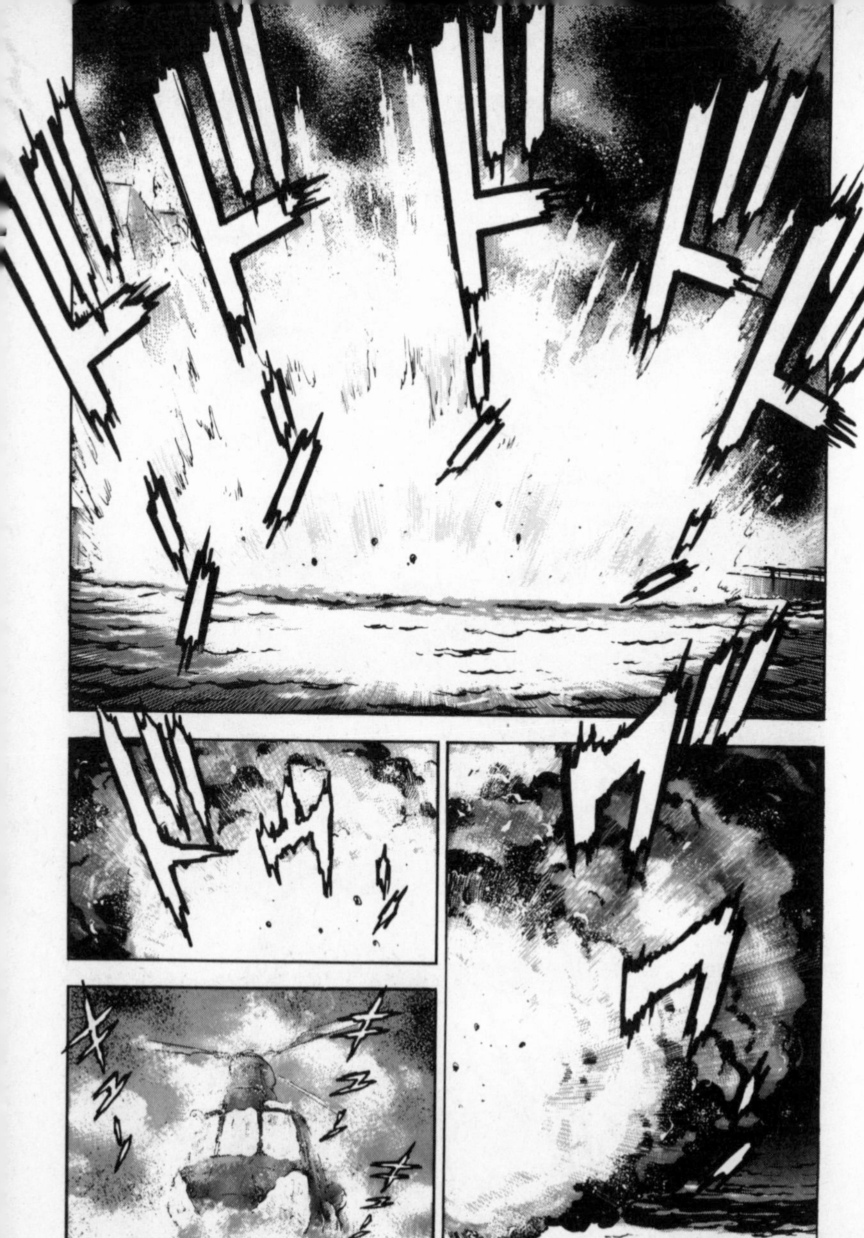
ドドドドド

471

救援ヘリが離艦します！
おおっやったぞ！
「サザンクロス」が沈没するぞ！
いっそこのまま「やまと」を抱いて沈んでくれたら
日本に対する世界の非難も消える！
断絶状態にあるアメリカとの関係も修復可能かも知れぬ！

総理 浜本です
20:25
ライアン大佐・乗員全員と共に離艦しました!
もちろん「サザンクロス」乗員のみ!
「やまと」乗員は含まれておりません
「やまと」……!

ドックが水没します!!
ただ今の傾斜は左舷20°!
深町きさまの任務は終わりだ
艦体フロアー開口まで
あと1分!
潜航!
ズズズ

水測より
艦長へ
エンジン音
3つ！
米原潜が
集まって
きます！
艦長　もう
逃げられません
浮上を！
聞こえる！
え
艦長　前方1000
巨大な沈没音
「サザンクロス」が
水没します
エンジン・ストップ
舵《かじ》このまま！
惰性《だせい》であの泡の中へ
突入だ
！

ゴゴゴ
艦長
魚雷も残り2本
バッテリーも上がる！
われわれの任務は
終わりました
浮上して下さい
エンジンを
止めろ！
奴は脱出する
ために
この音を必要
としたんだ！
海江田なら
沈むドックから
脱出するなど
朝メシ前だ！

とうとう沈めた……！
ソナー ディーゼル潜は!?
雷《かみなり》が落ちたような音です！ 探知不能！

ゴ
ゴ
ゴ
SOUTHERN
ゴ
ゴ
SOUTHERN
ゴ

沈黙の艦隊 10 ／END

「沈黙の艦隊」
おもな登場人物
リチャード・ボイス
米第7艦隊司令官。
山中栄治《やまなかえいじ》
「やまと」副艦長。
海江田四郎《かいえだしろう》
原潜「やまと」艦長。独立国を宣言し日本との同盟を締結。
デビット・ライアン
米第7艦隊所属。出航時より「やまと」に乗り込む
海原渉《うなばらわたる》
官房長官。国連で「やまと」擁護を呼びかける。
浜本啓介《はまもとけいすけ》
運輸大臣。親善大使として「やまと」に乗艦。
竹上登志雄《たけがみとしお》
内閣総理大臣。「やまと」と自衛隊の指揮権を国連にゆだねることを提案。
天津航一郎《あまつこういちろう》
外務次官。「シーバット」計画、主謀者の1人。

沼田《ぬまた》徳治《とくじ》
海上自衛隊第2護衛艦隊司令。
アラン・B・ランシング
米第3艦隊司令官。
テレンス・B・カーバー
米巡洋艦「ヴェラ・ガルフ」艦長。
深町《ふかまち》洋《ひろし》
海上自衛隊第2潜水艦隊所属「たつなみ」艦長。
アンドレイ・ロブコフ
ソ連攻撃型原潜「レッド。スコーピオン」艦長。
ジョージ・アダムス
国連事務総長。
ニコラス・J・ベネット
「やまと」の反乱事件をきっかけとして日本再占領計画を推進する。
ハロルド・D・ベイカー
米国務長官。

沈黙の艦隊

THE SILENT SERVICE

シーバット航海日誌 VOYAGE 1 〜VOYAGE 105

11月

21日
佐世保河島重工造船所より、試験航海出航。

23日
北太平洋海盆（北緯32°東経144°）にて反乱逃亡。

24日
ヤップ島沖（北緯12°東経135°）にて浮上、米対潜哨戒機と交信。
ミンダナオ海溝にて米原潜「ニューヨーク」を撃破。
16：00 米第7艦隊包囲網の中央に浮上、原子力空母「カールビンソン」と対峙。

22：00 米第7艦隊、そして世界へ向け、独立国「やまと」を宣言。

25日
モルッカ海峡にて、米原潜6艦と交戦。

27日
沖縄近海にて、ソ連アルファ級原潜「レッド・スコーピオン」と交戦。

28日
沖縄近海（北緯23°東経127°）にて、ソ連太平洋艦隊との交戦状態に突入。

29日
ソ連空母「ミンスク」直下にて、ソ連原潜艦隊による包囲を受ける。
17：55 ソ連原潜艦隊の包囲網を突破、米第3艦隊・空母「ミッドウエー」へ向かう。
18：24 米空母「ミッドウエー」及び米第3艦隊に向け雷撃を開始。

12月

1日

18：40　米空母「ミッドウェー」を撃沈。

19：25　米第3艦隊旗艦「ニュージャージー」を撃沈。

20：50　北緯26°東経128°にて、米巡洋艦「ヴェラ・ガルフ」と交戦、これを撃沈し、深海へ消える。

01：30　日本へ向かい北上中、小笠原沖(北緯30°東経142°)にて、海上自衛隊護衛艦隊に発見される。

2日

16：00　日本政府の呼びかけに応じ、大島沖（北緯35°東経139°）に浮上。

17：50　日本政府より派遣された親善大使・浜本啓介を受け入れる。

3日

19：50　沈底警戒する米原潜艦隊の真上を通過、東京湾へ入る。

21：00　東京湾・御台場沖において世界各国の報道陣の前に姿を現す。

23：30　艦長・海江田四郎、日本との条約交渉のため下艦。

4日

03：55　「シーバット」の至近距離に海上自衛隊第2潜水艦隊「たつなみ」が浮上。

11：00　移動浮きドック「サザンクロス」に入渠するため、御台場沖から南下、横須賀沖へ向かう。

17：32　「サザンクロス」内にて補給・点検中、米原潜艦隊の攻撃を受ける。

20：25　日本大使らの脱出後、被弾、浸水した「サザンクロス」と供に東京湾海底へ沈降。

THE SILENT SERVICE

「沈黙の艦隊」第10巻は、'90年のモーニング43号から52号に掲載された作品を収録したものです。
編集部では、この作品に対する皆様の御意見・御感想をお待ちしております。
また、今後「モーニングKC」にまとめてほしい作品がありましたら編集部までお知らせ下さい。

東京都文京区音羽二丁目十二番二十一号
〈郵便番号一一二―〇一〉
「講談社モーニング」編集部
モーニングKC係

参考資料／「世界の艦船」(海人社)，「シーパワー」㈱シーパワー)，「丸」(潮書房)
資料協力／Y.カウフマン，S.カウフマン

モーニングKC―250
沈黙の艦隊 ⑩
一九九一年　五月二十三日　第一刷発行
一九九二年　五月　十五日　第三刷発行
（定価はカバーに表示してあります）

著　者　かわぐちかいじ
発行者　山野　勝
発行所　株式会社講談社
東京都文京区音羽二―一二―二一
郵便番号　一一二―〇一
電話　編集部　東京(〇三)三九四五―九一五五
販売部　東京(〇三)五三九五―三六〇八

講談社

印刷所　大日本印刷株式会社
製本所　誠和製本株式会社

落丁本・乱丁本は小社雑誌業務部にお送り下さい。送料小社負担にてお取り替えいたします。なお、この本についてのお問い合わせはモーニング編集部あてにお願いいたします。

ISBN4-06-102750-6 (モ)　Printed in Japan

人類に課せられた
最大のテーマに、
コミックが挑む!
単行本1～13巻
絶賛発売中!!